Quando soube do projeto deste livro

vamos diante da possibilidade de ser
experiente, a uma nova e desafiante rea
ção se confirmou. Luke Greenwood, por meio
e apaixonado, nos conecta com a Cultura Jovem Global, um universo de possibilidades para a missão a qual a igreja foi comissionada. Muito agradecido a Deus por ver este livro accessível à igreja brasileira.

Ziel J. O. Machado, pastor metodista, vice-reitor do Seminário Teológico Servo de Cristo, e presidente de honra da IFES

O que fazer quando a igreja parece não conseguir comunicar a fé às novas gerações? Como transpor as barreiras entre a igreja e a cultura jovem secularizada? Essas são pergunta feitas por muitos missionários e líderes cristãos em todo o mundo. Luke Greenwood conhece bem essa realidade. Como filho de missionários, desde sua adolescência ele tem se dedicado a comunicar sua fé a seus amigos das gerações emergentes. Os desafios encontrados por ele e os princípios para superá-los estão disponíveis agora neste livro. Combinando experiência missionária em três continentes com uma vasta compreensão cultural e compromisso com a verdade bíblica, Luke nos convida a enxergar as novas gerações sob a luz do evangelho e a nos engajar na tarefa de transmitir-lhes a razão de nossa esperança. Recomendo fervorosamente a leitura!

Sandro Baggio, pastor na igreja Projeto 242, em São Paulo

Luke Greenwood escreve de uma maneira que nos ajuda a conectar-nos com suas paixões: por Deus e sua Palavra, e também pela geração jovem do mundo, que muitas vezes não encontra em nossas igrejas espaços de acolhimento. Este livro nos leva a conhecer algo das aventuras missionárias em meio à juventude de hoje: um desejo de contextualizar, de conectar-se e comunicar-se bem com as pessoas, aliado a um compromisso com a integridade do evangelho. Cada geração requer novos profetas que anunciem a mensagem de Deus onde as pessoas estão, que nos desafiem a encarnar essa Palavra que traz vida em cada contexto e cultura. Luke é um desses servos íntegros que Deus levantou em nossa época.

Ricardo Borges, secretário para o Engajamento com as Escrituras na IFES

Um livro extremamente encorajador. Luke Greenwood é uma voz que clama nos festivais, bares e *shows* de *rock* pelo mundo afora. Não conheço ninguém que esteja pregando o evangelho em lugares tão escuros de nossa cultura quanto ele tem feito. Deus o tem usado para derrubar os muros que impediam a mensagem de alcançar uma geração tida para muitos como a pior que já existiu. Se deseja aprender a levar Jesus ao mundo secular, este é o livro que você precisa ler. As histórias aqui reunidas despertarão a fé em seu coração e o farão ver que existe esperança para este mundo, que o evangelho é real e que jovens de todo o globo estão respondendo ao chamado de Cristo. Responda você também.

Luca Martini, missionário e influenciador digital

Para todo aquele com o desejo de alcançar a Cultura Jovem Global, recomendo muito a leitura deste livro de Luke Greenwood. Ele fala com autoridade e com o coração quebrantado, alinhado ao de Deus, ao compartilhar princípios para comunicar o amor de Jesus a toda uma faixa etária que clama por respostas. Leia este livro ou morra!

David Pierce, fundador da Steiger International
e da banda No Longer Music

Eu não conseguia largar este livro. É inspirador e de abrir os olhos! Luke compartilha sua vida de entrega, obediência e fé, e mostra profunda compreensão do coração da Cultura Jovem Global. Leitura obrigatória!

Sarah Breuel, diretora do Revive Europe

Assim como, na década de 1860, Hudson Taylor viajou pelas Ilhas Britânicas, abrindo os olhos dos cristãos para o vasto campo de missão da China, agora, 160 anos depois, Luke Greenwood faz o mesmo ao chamar a atenção para os jovens adultos mergulhados na cultura secular urbana. Por meio de histórias envolventes, de São Paulo a Dresden, temos um vislumbre do que Jesus vem fazendo para alcançar uma geração perdida.

Lindsay Olesberg, diretora nacional de Engajamento das Escrituras, InterVarsity / EUA

Luke Greenwood é uma das grandes vozes globais no que diz respeito ao evangelismo entre os *millenials*. Aqui ele fornece reflexão e liderança extraordinários para essa conversa mais que urgente.

Mac Pier, fundador do Movement.org

Luke Greenwood convida-nos a ver onde Deus está atuando no meio da Cultura Jovem Global e a juntar-nos a Ele — na "cena" — a fim de capacitar discípulos para a missão de Cristo. Um apelo inspirador à ação.

Brandon J. O'Brien, diretor de desenvolvimento de conteúdo para a Redeemer City to City

Amei este livro! É um chamado à ação, um guia para um mundo do qual conhecemos pouco, uma demonstração poderosa de como Deus está atuando entre os jovens de hoje, e uma ótima leitura.

Richard Harvey, pesquisador sênior no All Nations Christian College

A história pessoal e o chamado de Luke Greenwood inspirarão e desafiarão você a participar de um movimento de ativistas de Jesus para alcançar a Cultura Jovem Global com o amor de Cristo.

Blair T. Carlson, fundadora da GoodWord Partnership

Um lembrete profético, oportuno e necessário para todos nós, seguidores de Jesus, de que os dias são sombrios e, no entanto, as oportunidades de alcançar e discipular a Cultura Jovem Global nunca foram tão brilhantes.

Chad Johnson, fundador do Come&Live!

Um apelo urgente à compreensão e ao envolvimento com a cultura jovem globalizada, cada vez mais moldada pelo humanismo secular e pela tecnologia moderna. Fora da caixa, visionário, apaixonado, desafiador.

LINDSAY BROWN, ex-diretor internacional do Movimento Lausanne e da IFES

Muitas vezes esperamos para ver se as pessoas se abrem para Deus, mas este livro nos mostra que Deus já está pronto para alcançar os espaços vazios na vida delas neste exato momento. Amo o coração do Luke e sua dedicação para mostrar a pessoas de todas as esferas da sociedade quem é o verdadeiro Jesus.

BEN FITZGERALD, líder do Awakening Europe

CULTURA JOVEM GLOBAL

Como suprir a fome espiritual de uma geração

—

LUKE GREENWOOD

Traduzido por Luiz Henrique Ramos Santana

Os textos bíblicos foram extraídos da *Nova Versão Transformadora* (NVT), da Tyndale House Foundation, salvo as seguintes indicações: *Almeida Revista e Atualizada*, 2ª ed. (RA), da Sociedade Bíblica do Brasil; e *Nova Versão Internacional* (NVI), da Biblica, Inc.

Edição
Daniel Faria

Revisão
Natália Custódio

Produção e diagramação
Felipe Marques

Colaboração
Ana Luiza Ferreira
Marina Timm

Capa
Rafael Brum

CIP-Brasil. Catalogação na publicação
Sindicato Nacional dos Editores de Livros, RJ

G831c

Greenwood, Luke
Cultura jovem global : como suprir a fome espiritual de uma geração / Luke Greenwood ; tradução Luiz Henrique Ramos Santana. - 1. ed. - São Paulo : Mundo Cristão, 2021.
208 p.

Tradução de: Global youth culture
ISBN 978-65-5988-036-2

1. Jovens - Vida religiosa. 2. Jovens - Conduta. 3. Vida cristã. 4. Humanismo secular. 5. Religião e cultura. I. Santana, Luiz Henrique Ramos. II. Título.

21-72985 CDD: 248.83
CDU: 27-584-053.6

Camila Donis Hartmann - Bibliotecária - CRB-7/6472

Categoria: Cristianismo e sociedade
1ª edição: novembro de 2021

Publicado no Brasil com todos os direitos reservados por:

Editora Mundo Cristão
Rua Antônio Carlos Tacconi, 69
São Paulo, SP, Brasil
CEP 04810-020
Telefone: (11) 2127-4147
www.mundocristao.com.br

Sumário

Prefácio 9
Agradecimentos 12
Introdução 14

1. Sem felicidade, sem amor e sem controle 17
2. O chamado 23
3. A maior cultura não alcançada hoje 35
4. Aquilo em que se acredita importa 50
5. Perdidos 61
6. A fonte de esperança 72
7. Conheça a cena 85
8. Fale a verdade 108
9. Caminhe junto 131
10. Junte-se à revolução 150

Apêndice: Guia de estudo bíblico informal 169
Sobre a Steiger International 199
Notas 201
Sobre o autor 207

Prefácio

No dia 27 de agosto de 2017, minha banda, o Korn, estava tocando em um enorme festival de música no Reino Unido chamado Leeds Festival, na companhia do grupo de música eletrônica Major Lazer e tendo o *rapper* Eminem como atração principal; uma combinação estranha, mas ainda assim muito divertida. Luke Greenwood, que eu havia conhecido por meio da Steiger International, e alguns de seus amigos ajudaram a reunir uma multidão de fãs do Korn para uma festa depois de nossa apresentação.

Uma vez que eu não havia tentado reunir fãs em qualquer outro grande festival naquela turnê, não sabia muito bem o que esperar. Em geral, festivais gigantescos são frenéticos, com tanta coisa acontecendo que eu nem tento organizar uma reunião espiritual com os fãs do Korn como costumo fazer em nossas próprias apresentações.

Se há algo que aprendi viajando pelo globo inúmeras vezes, é que contar com pessoas apaixonadas à nossa volta é um ingrediente essencial para ministérios de evangelismo não tradicionais. E o Luke acabou sendo o amigo apaixonado de que eu precisava naquele dia no Leeds Festival. O Luke e alguns irmãos e irmãs de Steiger organizaram uma incrível reunião numa tenda com fãs do Korn e, quando entrei ali para contar minha história àqueles jovens incríveis, fiquei chocado ao ver a tenda repleta de almas famintas.

Testemunhamos o choro de muitos jovens naquele dia,

quando compartilhamos com eles a história do Deus-Homem que é a própria definição de Esperança: Jesus Cristo. A maioria da multidão respondeu à mensagem e veio à frente para receber Bíblias e orações. Uma garota nos contou sua história, de partir o coração, enquanto ela revelava cicatrizes de automutilação em ambos os braços. "Saí de uma unidade psiquiátrica só para vir assistir ao *show* do Korn", explicou. "Vocês não têm ideia do quanto essa mensagem significou para mim." Contamos do amor de Deus por ela e oramos para que fosse liberta e conhecesse a paz de Jesus.

Comecei a me envolver com o pessoal da Steiger por volta de 2016, ao participar de seu *podcast* Provoke & Inspire, e desde então eles têm ajudado a organizar reuniões como essa em todo o mundo, incluindo América do Sul, EUA, Alemanha, Polônia, Suíça, Ucrânia e até no Japão. Já vimos pessoas se abrirem para Jesus em toda parte.

Uma das razões pelas quais reconheço o fardo e a paixão pela juventude no Luke Greenwood e na Steiger é porque tenho isso ardendo em minha alma também. Todos nós ansiamos pela chave para destrancar a alma dos jovens. Ansiamos que a juventude mundial deixe de lado o que a mídia diz sobre o cristianismo, e nosso único desejo é conduzi-los, não à religião cristã, mas ao próprio Jesus.

Jesus é real. Ele vive. E a nova geração do mundo precisa que Jesus se manifeste a eles de uma maneira renovada e sobrenatural.

Em *Cultura Jovem Global*, Luke Greenwood escreve sobre a missão de fazer o que for necessário para impactar a juventude de todo o mundo para Jesus. Estou convencido de que nada impedirá o Luke e a Steiger de lutarem para alcançar esse objetivo.

Durante a leitura, pergunte a si mesmo: "Como eu vou me envolver?".

Brian Welch

Membro fundador da banda americana Korn

Agradecimentos

O maior presente que Jesus me deu neste mundo foi a minha linda família, Ania, Daniel e Sara. Obrigado pelo apoio, respeito, alegria, diversão e amor que tenho ao seu lado. Amo vocês!

Meus pais, Phil e Jan, foram meus primeiros discipuladores e mentores. Eles me incentivaram a fazer tudo o que Deus me chamou para fazer, e continuam a ser fonte de sabedoria e ânimo até hoje. Obrigado!

Ania e eu somos abençoados por ter várias igrejas ao redor do mundo que são nossa família e que têm investido em nós e cuidado de nós em diferentes estágios de nossa vida. A Cheam Baptist Church é a igreja que nos enviou e que caminha conosco há mais de dez anos. Obrigado, CBC! Pipe e Kátia e o pessoal da Gólgota, em Curitiba, Sandro e Mara e a família Projeto 242, em São Paulo, e The Rock, em Breslávia, obrigado pelos anos todos em que pude servir a Jesus com vocês!

Quero agradecer a nossa família Steiger ao redor do mundo! Vocês nos mantêm firmes por Jesus, sua paixão nos inspira, seu amor nos sustenta. Agradeço a David e Jodi Pierce, que sopraram a chama que Jesus colocou em meu coração e me ensinaram a alcançar a Cultura Jovem Global! Aaron Pierce, obrigado por ser um amigo e "parceiro no crime" enquanto construímos esta missão juntos!

Obrigado a Brian Welch, Jorge Cumplido (Cocke), Moah, Flávia e todo o pessoal de Guarulhos, No Longer Music, Bruno Colisse e Alegórica, Manifeste, Dudi, Dalila, Angelo, Aline e equipe da Steiger São Paulo, equipe da Steiger Breslávia, Stephan Maag, Angela e Steiger Union (mundo de língua russa) pelas grandes aventuras que vivemos juntos e as muitas outras ainda por vir.

Saudações a meus irmãos na The Unrest. O motim só começou!

Quero agradecer a Lindsay Olesberg, Richard Harvey, Luciana Kim, Maureen Hurst e Derek Thornton por sua importante contribuição ao longo do caminho conforme este livro foi sendo elaborado. Geoffrey Stone, obrigado por levar este material para um novo patamar e torná-lo algo que as pessoas realmente pudessem ler.

Introdução

Nós somos a geração global. Urbanizados e conectados, acreditamos em liberdade, igualdade, democracia e justiça. Estamos livres e no controle. Somos especialistas em tecnologia, artistas e ativistas. Amamos imagem, beleza e qualidade. Temos mentalidade aberta, somos espirituais, tolerantes e diversos. Queremos mudança, e queremos mais. Queremos tudo agora, mas na realidade não sabemos o que queremos.

Nunca estivemos tão próximos e, ao mesmo tempo, tão distantes uns dos outros, nunca antes tão confusos com a vida, seu significado e propósito. Somos bombardeados pela indústria do entretenimento, pela cultura *pop* e por estratégias econômicas. Disseram-nos que acreditássemos em qualquer coisa, aceitássemos tudo e não confiássemos em ninguém. Acreditamos que podemos comprar nossa identidade. Tratamos as pessoas como tratamos as coisas. Queremos lutar, mas não sabemos pelo quê. Sentimo-nos vazios, anestesiados e confusos. Chegamos abaixo da linha do desespero, não temos esperança, e não sabemos mais em que acreditar. Somos a Cultura Jovem Global, e este é nosso clamor.

A atual geração urbana, conectada pelo consumismo, pelas mídias sociais e pela indústria do entretenimento, forma a maior cultura global que já existiu. Ela se estende da Europa à América do Sul, da Ásia ao Oriente Médio, apegando-se aos mesmos valores, ouvindo as mesmas músicas, assistindo aos mesmos filmes e compartilhando as mesmas postagens.

Esta cultura global é amplamente influenciada por uma cosmovisão predominante: o humanismo secular. Deus está morto, e nós estamos no centro de tudo. Nesta cultura relativista, nós somos Deus, e o consumismo é nossa religião. Esta é uma geração que não busca respostas na igreja, pois acredita que ela é uma tradição morta e vazia do passado. Ou Deus não existe ou, caso exista, não interfere de verdade em nossa vida.

Mas Deus está em missão, e seu coração se parte por esta geração perdida. Sua mensagem de amor — o evangelho — é para todos, e não é certo que os jovens de hoje não possam ouvi-la porque não estamos tornando-a acessível a eles.

De acordo com uma pesquisa de 2014 feita pelo Centro de Pesquisas Pew, há hoje aproximadamente 56 milhões de americanos sem filiação religiosa.[1] Um estudo semelhante intitulado "Jovens adultos europeus e religião", do professor britânico de teologia e sociologia da religião Stephen Bullivant, mostra uma realidade ainda mais dramática. Na República Tcheca, 91% dos jovens adultos se classificaram como sem filiação religiosa, ao passo que no Reino Unido, França, Bélgica, Espanha e Holanda entre 56% e 60% disseram nunca ir à igreja, e entre 63% e 66% afirmaram nunca ter feito uma oração. Segundo Bullivant, muitos jovens europeus "se batizam e nunca mais passam pela porta de uma igreja. Identidades religiosas culturais não estão sendo transmitidas de pais para filhos. Elas são simplesmente removidas".[2]

Eles não vêm até nós, então temos de ir até eles. Como igreja de Jesus, precisamos efetuar as devidas mudanças na mentalidade e no estilo de vida, e entender a necessidade de uma mudança de paradigma nas missões.

Este é nosso manifesto. Desafiar o *status quo* da cosmovisão humanista secular e desmascarar sua natureza opressiva.

Levantar a cruz fora da igreja e ver infundida nesta cultura globalizada a mensagem de um Deus amoroso revelado em Jesus. Ver esta geração encontrar esperança e propósito ao encontrar o Criador. E, com isso, mudar radical e eternamente o mundo.

Minha esperança ao escrever este livro é conscientizar os leitores acerca da fome espiritual desta Cultura Jovem Global e despertar um movimento missionário que pregue o evangelho nos centros urbanos de todo o mundo.

1
Sem felicidade, sem amor e sem controle

Em 2008, uma edição da revista *Time* focou a difícil situação dos jovens britânicos. A capa mostrava um típico jovem encapuzado, aparentando indignação, com o título "Sem felicidade, sem amor e sem controle". O artigo principal dessa edição descrevia com precisão muito do que estávamos vendo à nossa volta:

> Os meninos e meninas que se envolvem casualmente em brigas e sexo e mantêm os postos de emergência sempre ocupados estão muitas vezes encharcados de bebida barata. Os jovens britânicos deixam seus contemporâneos europeus no chinelo no que diz respeito a consumo de álcool. [...] Também se envolvem com mais frequência em brigas. [...] São mais propensos a experimentar drogas ou a começar a fumar cedo. As meninas inglesas são as mais sexualmente ativas na Europa. Muitas delas já fazem sexo com 15 anos ou menos, e mais de 15% não usa métodos contraceptivos — o que significa que a Grã-Bretanha tem elevadas taxas de gravidez na adolescência e de doenças sexualmente transmissíveis.[1]

O artigo prossegue, dizendo que uma pesquisa da Unicef de 2007 sobre o bem-estar infantil em 21 países industrializados colocou o Reino Unido no final da lista.

Minha esposa, Ania, e eu estávamos morando no Reino Unido, passando um tempo com a igreja que nos sustenta como missionários. Aquele artigo calou fundo em mim, pois havíamos começado a conhecer em primeira mão a realidade de muitos jovens britânicos — vidas muitas vezes repletas de dor, perda e confusão. Havia uma ampla lacuna geracional, e jovens desprovidos de propósito levavam uma vida vazia e materialista, sem muito o que fazer, exceto andar por aí e beber nos parques e nas avenidas.

Certa ocasião, lembro-me que a Ania perguntou a uma garota de 15 anos o que ela queria fazer da vida e quais eram seus sonhos. Ela disse que queria engravidar.

— Por quê? — a Ania perguntou.

— Para que eu possa receber suporte da assistência social. Eles dão às mães solteiras um bom apartamento e ajuda financeira.

Decidimos agir. Em um culto matinal de domingo, anunciamos que estávamos organizando uma reunião de oração para quem quisesse nos ajudar a alcançar os jovens de nosso bairro. Mais tarde naquela semana, quando alguns de nossos amigos e outros membros da igreja começaram a entrar na sala de nosso apartamento em Sutton, no sudoeste de Londres, eu me perguntava o que estávamos fazendo. Não éramos exatamente uma equipe de jovens afiada e dinâmica. Alguns de nossa equipe eram tão tímidos que nem sequer gostavam de falar *conosco*, e nós éramos seus amigos! Tínhamos uma bibliotecária, um vendedor de carros, e a Vovó Pat, de 79 anos, cheia de energia e com um sorriso constante no rosto. Nenhum de nós tinha muita experiência com trabalho entre jovens, mas todos tínhamos o coração disposto. Passamos um mês em oração tentando discernir o que fazer para alcançar os jovens da vizinhança. Por fim, concordamos em organizar uma festa em uma cafeteria próxima da igreja.

Fizemos alguns panfletos descolados e fomos para a avenida principal do bairro para convidar pessoas. Aproximei-me de um grupo de "*hoodies*" (adolescentes encapuzados que gostam de futebol, garotas, beber e brigar). Falei-lhes da festa enquanto distribuía os panfletos. Eles pegaram os convites, começaram a rasgá-los, cuspiram neles, e então começaram a me ofender. "Você é um daqueles cristãos de m****!". Não faço ideia de como sabiam disso, já que o panfleto nada dizia sobre ser um evento cristão.

Quando nos reunimos com a equipe, eu disse que achava que ninguém viria. E tinha razão. Naquele sábado, sentamos na cafeteria olhando uns para os outros, indagando o que fazer. Então, oramos: "Deus, não sabemos como alcançar esse pessoal. Por favor, traga-os para nossa cafeteria, para que possamos falar do Senhor para eles".

Na semana seguinte, recebi uma mensagem de uma pessoa da igreja dizendo que os adolescentes de sua escola estavam falando sobre uma nova cafeteria estilosa que haviam aberto, e ela estava se perguntando se era a nossa. Até hoje não sei explicar o que aconteceu, mas no sábado seguinte, quando abrimos a cafeteria, filas esperavam para entrar. Talvez um pessoal influente tenha decidido que viria e os demais simplesmente os seguiram, sei lá.

O lugar estava lotado, a música pulsando, e eu, preocupado. Pensei comigo: "Quando entreguei os panfletos, quase me deram um soco! Se eu tentar falar de Jesus aqui esta noite, eles podem me matar!". Orei: "Deus, eu sei que disse que iríamos contar a eles sobre o Senhor, mas tenho certeza de que entende os riscos aqui e que provavelmente não é uma boa ideia pregar para eles, certo?". Então senti como se Deus respondesse: "Você me pediu para encher o lugar, portanto agora pregue!".

Subi em uma mesa e gritei:

— Olá a todos! Obrigado por terem vindo à nossa cafeteria! Queremos que todos saibam que são muito bem-vindos, e que é um prazer tê-los aqui! Eu também queria dizer que Deus ama vocês!

É claro que, nesse ponto, começaram as ofensas:

— Cala a boca, seu idiota! Não começa com esse papo de Deus! (Bem, não foi *exatamente* isso que eles disseram. Usaram um vocabulário mais explícito.)

Decidi continuar:

— Certo, escutem! Se alguém aqui quiser me ouvir lendo a Bíblia, vou estar numa sala lá em cima. Vocês podem ficar aqui e continuar curtindo a festa, ou podem ir comigo lá pra cima.

Nesse momento, subi as escadas e me joguei em um sofá, pensando comigo: "Bem, fiz o que pude. Vou esperar aqui um pouco, depois vou para casa com a consciência tranquila".

Para meu desespero, o pessoal começou a subir as escadas. Ocuparam as cadeiras daquele pequeno cômodo, e mais deles continuavam vindo. Alguns se sentaram no chão, e logo o recinto estava lotado. Outros ficaram no corredor, olhando pela porta para ver o que acontecia. Pensei: "O que esses caras querem de mim?! Quando eu prego, gritam comigo! Dei a eles uma boa oportunidade para relaxar lá embaixo, mas não, querem zombar de mim!".

Para ser honesto, de fato eu não havia preparado nada, pois tinha certeza de que ninguém iria querer vir para me ouvir ler a Bíblia! Afinal, quem iria querer ouvir isso? Então, improvisei. Abri a passagem em que Jesus acalma a tempestade e comecei a ler. Quando terminei, expliquei que o mesmo Jesus que acalmou aquela tempestade estava vivo e se encontrava naquele recinto conosco, e que ele tinha o mesmo poder hoje.

O ambiente se aquietou. Eu não podia acreditar que eles estavam ouvindo. Então as perguntas começaram a surgir: "Mas como você pode acreditar nisso? Na escola nos ensinam que Deus não existe e que todos nós viemos do Big Bang". "Meus pais me dizem que a igreja é um amontoado de mentiras." De repente, nossa equipe tímida se viu cercada de garotos e garotas fazendo perguntas com curiosidade. Tentamos responder o melhor que pudemos e descobrimos que, por trás de toda aquela agressão, havia interesse sincero e sede pela verdade. Eles nunca haviam tido a chance de sentar e conversar com alguém sobre Jesus, e estavam fascinados com isso.

A Vovó Pat nunca tinha feito tanto chá e chocolate quente em sua vida. E ela adorou. Todos os sábados, era a primeira a chegar e uma das últimas a sair. Cumprimentava todos com um abraço e os chamava de "queridos". Até os sujeitos mais durões não conseguiam não amá-la. "Vovó Pat!", eles a chamavam, e ela sentava e conversava com eles a noite toda. Tornou-se uma celebridade em nossa região. Jovens a cumprimentavam em cada esquina enquanto ela fazia compras na rua principal de Sutton. E não foi só ela. Toda a nossa equipe sofreu uma revolução diante daquilo que Deus estava fazendo por meio desse simples passo de fé.

Aquilo acabou se tornando um evento semanal no Point Night Café, como o chamávamos. Todos os sábados, alguns dos sujeitos que haviam sido os mais bagunceiros no início se aproximavam e perguntavam: "Quando é que começa o estudo bíblico hoje à noite?". Traziam até cadernos cheios de perguntas nas quais haviam pensado durante a semana na escola.

Nunca vou me esquecer de um rapaz chamado Sam. Ele tinha sido um dos líderes da turma mais arruaceira naquela primeira noite, mas logo tornou-se membro frequente do estudo bíblico que acontecia no andar de cima. Um sábado, ele veio até mim e disse:

— Cara, algo muito estranho aconteceu comigo esta semana.

— Diga lá, Sam.

— Senti uma vontade enorme de orar, então orei! E sinto que Deus escutou. Sinto que ele me aceitou como eu sou.

Minha geração cresceu em meio à confusão provocada pelo relativismo e o secularismo. Bombardeados pela indústria materialista do entretenimento, foi-nos vendido um sonho vazio. Mas aqueles garotos e garotas estão sedentos pela verdade. Quando têm a oportunidade de conhecer o verdadeiro Jesus, em vez de *slogans* e respostas superficiais a perguntas que eles nunca fizeram, estão prontos e dispostos a largar tudo e segui-lo.

Esta cultura jovem globalizada e secularizada precisa de um novo movimento missionário liderado por seguidores corajosos e autênticos de Jesus, seguidores apaixonados por sua fé e dispostos a correr riscos para exercê-la em sua vida hoje.

Os encontros no Point Night Café duraram cerca de dois anos. A Vovó Pat não queria parar. Nos seus 80 anos, juntou-se a um grupo sediado em Londres chamado Pastores de Rua e começou a ir a ruas de boates para conversar e orar com pessoas que saem das baladas quando já está amanhecendo. Outro casal que fez parte de nossa equipe foi para Hong Kong como missionários para trabalhar com a renomada missionária Jackie Pullinger e sua Sociedade de Santo Estêvão.

Não é preciso ser grande aos olhos humanos, não é preciso ser descolado, e não é precisa ter um diploma de teologia para fazer a diferença. Só é preciso um coração entregue ao chamado de Deus.

2

O chamado

Aos 15 anos de idade, eu tinha uma banda. Nutríamos grandes sonhos de sermos estrelas do *rock* para Jesus. O plano era tornar-nos muito famosos e depois contar a todos sobre Jesus. Como vivíamos no meio do nada no interior de São Paulo, acreditávamos que éramos uma das primeiras bandas cristãs de *heavy metal* progressivo do mundo.

De alguma forma, conseguia usar calças de couro pretas apertadas e um casaco no estilo *Matrix* em meio ao calor brasileiro, e desenvolvi uma técnica de tocar bateria e balançar o cabelo em círculos ao mesmo tempo.

Você talvez fique surpreso ao saber que meus pais missionários eram bastante compreensivos. Talvez seja porque meu pai passou sua juventude ouvindo Deep Purple e conheceu minha mãe em um estudo bíblico enquanto ela chegava em uma moto. A história é que meu pai foi até minha mãe, que havia acabado de estacionar sua moto em um lugar proibido. Ele disse: "Ei, rapaz, não pode estacionar aí, não". Minha mãe começou a tirar o capacete e seu cabelo longo, loiro e encaracolado no verdadeiro estilo Hollywood, deixando meu pai boquiaberto. Ele foi incapaz de reunir coragem para convidá-la para sair por pelo menos doze meses.

Dez anos depois de casados, meus pais se sentiram chamados a deixar o emprego estável do meu pai no escritório de uma companhia de petróleo e uma casa geminada em um bairro de classe média no sudoeste de Londres para serem missionários no Brasil. Então, em 1992, comigo (8 anos) e minhas duas irmãs (4 e 6), eles se mudaram para um pequeno apartamento no interior paulista.

Enfim, de volta à banda. Depois de nossos dois primeiros anos de grande sucesso, fazendo pelo menos uma apresentação em um teatro local (saiu no jornal da cidade!), nossos grandes planos ficaram em modo de espera quando eu fui frequentar a universidade na grande cidade de Curitiba, no estado do Paraná. Em 2001, mudei-me para Curitiba. Um amigo me disse que era a cidade do *heavy metal*. Havia várias lojas de CDs inteiramente dedicadas ao *metal*, além de bares com *shows* ao vivo todos os fins de semana. Sentia-me muito animado, estando fora da casa dos meus pais e começando minha bastante precoce vida independente com apenas 17 anos.

Num dos primeiros *shows* a que fui, descobri que os membros da banda eram cristãos. Outra banda cristã de *heavy metal*? Fiquei chocado. Aconteceu que outros tinham pensado na ideia da banda missionária antes de mim. Falaram-me de uma igreja que estavam plantando para alcançar jovens alternativos na cidade.

No domingo seguinte, apareci lá para dar uma olhada. Era um prédio estreito em uma rua íngreme em uma parte muito duvidosa da cidade. Era conhecida por ser um dos principais pontos de tráfico de drogas e prostituição. A primeira coisa que notei foi que toda a fachada do edifício, incluindo as janelas altas, era pintada com tinta preta grossa. A entrada era um portão de metal torcido, e um dos membros da igreja estava ali de guarda. Ele tinha o cabelo vermelho-fogo preso com uma bandana do Guns N' Roses e estava inteiramente vestido de couro preto. Para completar sua intimidante aparência, Kiss, como ele era conhecido, estava segurando seu *rottweiler* Aslam com uma pesada e longa corrente.

A igreja Gólgota era algo que nunca imaginei que pudesse existir, mas eu me encaixei de imediato e passei ali os anos seguintes crescendo veloz na fé. A igreja foi plantada por um casal incrível: Volmir, mais conhecido como Pastor Pipe, e Kátia. Eu ampliava meus horizontes conforme me envolvia ajudando a pequena equipe de plantadores de igrejas a liderar estudos bíblicos e discipulado individual com a crescente comunidade de jovens vindos de várias subculturas: *punk*, *metal*, *hippie*, *rave*, *emo* e outras. Basicamente, qualquer um interessado em Jesus que não se encaixasse em um ambiente tradicional de igreja parecia acabar entrando por nossas portas.

Meu plano ambicioso de ter uma banda missionária de *metal* de repente não parecia assim tão original. Em nossa igreja, havia mais bandas que pessoas. No entanto, a despeito de meus planos e ideias, crescia em mim um desejo plantado por Deus. Eu queria ver meus amigos, e muitos outros jovens que eu sabia que nunca entrariam em uma igreja, descobrirem que Jesus é real e que igreja não diz respeito a um edifício ou um conjunto de regras.

Rendição

Eu ansiava por encontrar novas formas de comunicar a verdade e a realidade de Jesus à minha geração, para que tivessem o mesmo privilégio de conhecer a Deus. Mas meu orgulho, meu complexo de estrela do *rock*, estorvava o caminho.

Naquele primeiro ano em Curitiba, mudei-me para um apartamento com dois outros rapazes, bem perto de nossa igreja. Como eu disse antes, tratava-se de uma região pesada, de prostituição e tráfico de drogas. Havia crianças de 7 anos de idade fumando *crack* e dormindo à minha porta. Todas as manhãs, a caminho da universidade, deparava com garotas vendendo o corpo nas esquinas e garotos alucinados pelo *crack* à procura de latas no lixo. Enquanto passava, eu orava: "Deus, por favor, mude esta situação. Alguém tem de fazer alguma coisa".

Um dia, senti que ele me respondeu: "Faça você alguma coisa".

"Mas, Deus, eu não sei como falar com prostitutas e viciados em drogas. Eu vou ser uma estrela do *rock* e falar do Senhor para as multidões."

Não conseguia tirar isso da cabeça, e sentia que Deus me dizia que eu fizesse algo totalmente contrário ao meu plano e o que eu achava que fazia sentido. Então, certa manhã me levantei, fiz uma garrafa de café e decidi oferecê-lo às pessoas na rua, num esforço para mostrar que eu me importava com elas e queria bater um papo. Fui até a esquina e ofereci uma xícara de café para um sujeito alto vestido com uma minissaia. O travesti olhou para mim desconfiado.

— Eu sei por que você veio aqui — ele disse. — Quer reclamar do barulho e da bagunça na sua rua, enquanto a gente faz nosso trabalho aqui a noite toda.

— Não, eu sinceramente só queria lhe oferecer café. Pode parecer estranho, mas passo por aqui todos os dias. Eu oro por você, e senti Deus me dizendo que viesse aqui e lhe dissesse que ele se importa com você.

Foi como se um peso fosse retirado de seus ombros. Ele me agradeceu, aceitou o café, e começou a se abrir sobre sua vida. Pude orar com ele e dar-lhe uma versão de bolso do Evangelho de Lucas.

Por volta dessa época, fui a uma conferência de missões. Havia tantas pessoas incríveis fazendo coisas incríveis para Deus em todo o mundo. Comecei a me comparar com esses missionários admiráveis, pensando em todas as grandes coisas que eu poderia fazer um dia. Comecei a me sentir desnorteado, por isso decidi sair e sentei em um banco. Abri minha Bíblia e, de repente, tive uma profundo sensação de que Deus queria me mostrar algo. Abri aleatoriamente no Salmo 131:

> SENHOR, meu coração não é orgulhoso,
> e meus olhos não são arrogantes.
> Não me envolvo com questões grandiosas
> ou maravilhosas demais para minha compreensão.
> Pelo contrário, acalmei e aquietei a alma,
> como criança desmamada que não chora mais pelo leite da mãe.
>
> Salmos 131.1-2

Fui convencido de que tinha um coração orgulhoso. Deus pusera sonhos em meu coração, mas muitas vezes eles se misturavam e se entrelaçavam com ambição orgulhosa e um desejo de reconhecimento. Eu me arrependi.

Mas Deus não parou por aí. Ele queria que eu trabalhasse naquilo. Primeiro, senti que ele estava me pedindo, no meio de uma reunião com todos aqueles missionários que eu havia acabado de conhecer, que me levantasse e confessasse minha ambição orgulhosa e desejo de reconhecimento. Então, tremendo, fui à frente e compartilhei isso com os demais. Não imagino que tenha significado muito para ninguém na sala, mas Deus estava fazendo algo em meu coração.

Quando cheguei em casa, senti o chamado de Deus para mim. Saí da banda em que estava na época (a essa altura eu já tinha feito parte de algumas bandas diferentes na Gólgota), dei minha bateria para a igreja e me dediquei a compartilhar o amor de Deus com as pessoas na minha própria porta. Logo alguns amigos da igreja se juntaram a mim e havia um grupo alcançando prostitutas e viciados em drogas por todo o centro de Curitiba.

O plano de Deus é muito melhor que o nosso. Anos mais tarde, acabei viajando pelo mundo com uma banda, mas então meu coração já estava transformado. Já não me importava em fazer parte de uma banda ou em tocar bateria. Tudo o que me importava era ver pessoas se entregando a Jesus. Assim como eu o vi agir poderosamente pelas ruas de Curitiba, queria ver as pessoas o conhecerem em cada *show* que fazíamos. (Mais sobre isso depois.)

A primeira coisa que precisamos fazer para ver o chamado de Deus acontecer em nossa vida é a rendição. Isso significa muito em nossa cultura autocentrada. Significa tomar uma posição radical contra o fluxo da cultura. E isso é exatamente o que é necessário se queremos alcançar esta geração para Jesus. Não há estratégia perfeita nem fórmula mágica. Precisamos do poder de Deus. E, para ver o poder de Deus, temos de nos render.

Chamado ou ambição?

Decidi bem cedo que não queria depender financeiramente dos meus pais. Eu tinha um ótimo relacionamento com eles (embora eu provavelmente devesse ter ligado para casa com mais frequência), mas parecia correto para mim que eu tinha de crescer e aprender a cuidar de mim mesmo. Então arranjei um emprego como professor de inglês. Também dei continuidade ao ministério de rua ao longo dos quatro anos que vivi em Curitiba. Isso significava que eu ia à universidade pela manhã, dava aulas de inglês à tarde, e passava a maioria das noites na rua conversando com viciados em drogas, prostitutas e sem-teto. Foram anos muito intensos; definitivamente, não fiquei entediado. Também significava que, muitas vezes, ficava fora até uma ou duas da manhã, e depois levantava cedo para as aulas. Uma vez, passei tanto tempo fora numa das noites frias de Curitiba com nossos amigos sem-teto que peguei pneumonia e tive de passar uma semana no hospital.

Nossos momentos de oração como equipe antes de sair para as ruas eram, com frequência, intensas batalhas espirituais. Era uma verdadeira luta levar Jesus a partes tão sombrias da cidade. Às vezes eu me sentia cansado, solitário e inseguro. Mas havia algo além de mim me conduzindo. O sentido do chamado de Deus me deu toda a energia de que precisava para enfrentar os bons e os maus momentos. Jamais teria sido capaz de fazer isso se dependesse apenas dos meus próprios planos e ambição. Para servir a Deus e ir aonde ele pediu, eu tinha de saber que era um chamado, e não apenas minha própria ambição. Como nos lembra Oswald Chambers:

> É mais fácil servir ou trabalhar para Deus sem uma visão e sem um chamado, porque então você não se incomoda com o que ele exige. O bom senso, coberto por uma camada de emoção cristã, torna-se seu guia. Você pode ser mais próspero e bem-sucedido do ponto de vista do mundo, e ter mais tempo de lazer, se nunca reconhecer o chamado de Deus. Mas, uma vez que recebe uma comissão de Jesus Cristo, a memória do que Deus pede de você sempre estará lá para incitá-lo a fazer a vontade dele. Você não poderá mais trabalhar para ele com base no bom senso.[1]

Creio que Jesus tem uma comissão para todo aquele que perguntar: "O que o Senhor quer que eu faça?". Então a pergunta não é "Eu sou chamado?", mas sim "O que sou chamado para fazer?". O problema é que às vezes estamos tão ocupados fazendo coisas boas que não perguntamos a Deus o que *ele* quer que façamos.

Em Atos, lemos sobre o apóstolo Paulo e o chamado radical que ele recebeu de Jesus para ir aos gentios. Ele derramou sua vida por eles, e fez isso com alegria. Comparou seu chamado com um atleta em treinamento e uma corrida que ele disputa para vencer. Deu tudo o que tinha para cumprir seu chamado: "[Eu] me alegrarei mesmo se perder a vida, entregando-a a Deus como oferta derramada, da mesma forma que o serviço fiel de vocês é uma oferta a Deus. E quero que todos vocês participem dessa alegria" (Fp 2.17).

Quando nos rendemos a Deus e recebemos essa comissão, o chamado divino é estupendamente poderoso, consumindo tudo. Está além de nós e fora de nosso controle. Continuamos dando passos de obediência, muitas vezes sem saber o que estamos fazendo. Mais tarde, olhamos para trás espantados com o maravilhoso plano de Deus.

Quando somos chamados por Deus, trabalhamos arduamente, damos nosso melhor, vivemos conforme um padrão mais elevado e nos derramamos sem sequer pensar nisso. Não é por legalismo ou pressão; ocorre naturalmente para uma alma de todo entregue ao Rei.

Uma missão chamada Steiger

Depois de abandonar o complexo de estrela do *rock*, comecei a orar por uma nova visão. Juntando minha experiência de alcançar jovens sem voz nem vez com a igreja Gólgota e minha criação no mundo missionário, comecei a imaginar uma nova organização missionária que pudesse alcançar jovens que não poriam os pés em uma igreja. Velhos hábitos custam a morrer, por isso estabeleci um novo plano ambicioso: Se eu não teria a primeira banda cristã de *rock*, então fundaria a primeira organização missionária voltada para a cultura jovem alternativa.

Comecei a orar para que Deus me levasse a outras pessoas ao redor do mundo que compartilhassem dessa visão. E não tive de esperar muito, porque naquela mesma semana duas garotas da Alemanha apareceram em nossa igreja e me falaram de uma banda chamada No Longer Music. Era composta por missionários de todo o mundo que se apresentariam na cidade de São Paulo no fim de semana. Falando em um português meio travado, elas me deram a localização do *show*, e fui para casa fazer as malas.

Tomei o próximo ônibus — uma viagem de seis horas — para São Paulo. Estava muito empolgado. Sentia que Deus estava respondendo às minhas orações e me conduzindo a algo novo. Chegando à caótica estação de ônibus de São Paulo, descobri que, na verdade, o *show* estava acontecendo em uma cidade nos arredores da capital. Quando peguei outro ônibus e cheguei à pequena cidade de Arujá, já era quase meia-noite. O motorista do ônibus me deixou perto de uma placa em uma estrada de terra no meio do nada e disse: "Siga por ali", apontando para a escuridão além da trilha de terra.

"Onde estou com a cabeça?", pensei. Eu tinha 17 anos, andando por uma estrada de terra no meio da noite, e mal conseguia ver os próprios pés. À medida que seguia em frente, minhas orações se intensificavam. "Deus, por favor, ajude-me a encontrar essa banda. Não quero dormir no meio do mato", supliquei. De repente, ouvi o som de guitarras distorcidas a distância, e enquanto as seguia cheguei a uma clareira.

Parecia um típico centro de retiro de igreja, mas as pessoas de lá definitivamente não se pareciam com pessoas de igreja. Todo mundo vestido de preto, cheios de correntes e *piercings*. Um sujeito usava uma máscara de gás, não por razões de saúde, mas como declaração estética. Descobri mais tarde que tinha acabado de entrar em um fim de semana que celebrava o final da turnê da No Longer Music pela cena gótica de São Paulo. Eram jovens que haviam acabado de conhecer Jesus em clubes góticos como Madame Satã, Deja Vu e Bloody Covenant Bar, e foram para aquele lugar a fim de entender mais sobre a mensagem.

Foi a primeira vez que assisti à apresentação da No Longer Music. Eles retrataram a morte de Jesus na cruz e sua ressurreição, e vi como as pessoas responderam à mensagem clara do evangelho apresentada daquela forma. Naquele momento, soube que Deus estava me chamando para dedicar minha vida àquilo. Eu tinha vindo ao lugar certo, e Deus estava atendendo às minhas preces.

No dia seguinte, conheci o David Pierce, vocalista e fundador da No Longer Music. Contei-lhe tudo sobre meu sonho ambicioso de iniciar uma organização missionária para alcançar os jovens. Com paciência, o David ouviu esse provavelmente bastante irritante jovem de 17 anos e então disse:

— Você já ouviu falar da Steiger?

— Não — respondi.

— Bem, é basicamente a organização missionária que você está descrevendo. Talvez Deus o esteja chamando para começar uma nova missão, ou talvez o esteja chamando para se juntar a nós. Se quiser fazer parte da Steiger, venha ao nosso encontro mês que vem.

Espantado com o incrível plano e a incrível direção de Deus, respondi no mesmo instante:

— Claro que vou! Onde vai ser?

— Na Polônia.

• • •

No início dos anos 2000, a Steiger era mais um movimento que uma organização. Tudo começou no início da década de 1980, com David e Jodi Pierce e a No Longer Music em Amsterdã.[2] Eles inspiraram muita gente ao redor do mundo e começaram um movimento de amigos e parceiros cujo foco total era compartilhar Jesus com jovens de fora da igreja. Havia muita coisa rolando na Alemanha, na Polônia, nos Estados Unidos, no Brasil e em outros países.

O David uma vez me explicou o chamado de Deus da seguinte forma. É como se você fosse um rato que foi despejado pela descarga num cano de esgoto. Você tem duas opções: ou vai para baixo arranhando e gritando, ou aguenta firme e desfruta do passeio. De qualquer forma, você vai cair. O fato é que o chamado de Deus é estupendamente poderoso e a tudo consome. Quando ele nos chama, nossa parte é tão somente obedecer.

Chegando em casa, liguei para minha mãe e disse:

— Mãe, preciso ir para a Polônia.

— Por quê? — ela perguntou.

— Vou me juntar a uma organização missionária chamada Steiger.

— Ah, sim. Fique bem e não se esqueça de ligar.

Em seguida, vendi algumas das minhas coisas, comprei uma passagem e segui caminho rumo ao Festival de Arte Slot e ao encontro da Steiger na Polônia. Eu me perdi algumas vezes naquela viagem também, mas por fim consegui chegar. Deus estava respondendo às minhas orações, e eu estava disposto a fazer o que fosse preciso para tomar parte no que ele vinha fazendo.

3
A maior cultura não alcançada hoje

Enquanto ainda seguia os quatro anos de curso universitário em Curitiba, fui me envolvendo cada vez mais no trabalho da Steiger, no Brasil e em todo o mundo. Inicialmente, eram coisas como traduzir o David Pierce quando ele estava pregando e ajudar a organizar turnês para a No Longer Music (também conhecida como NLM) no Brasil.

Então, um dia em 2004, em um carro com David e Sandro Baggio, que foi o responsável por ter trazido a NLM e a Steiger para o Brasil pela primeira vez, David disse:

— Preciso de um novo baterista.

— O Luke é baterista! — respondeu o Sandro, espontaneamente. Daquele dia em diante, em todo encontro de igreja de que participamos, David me apresentou como seu novo baterista. Tentei explicar que tinha desistido de tocar bateria anos atrás, mas não adiantou. Quando dei por mim, estava voando para a Alemanha para ensaiar e me juntar à NLM a fim de fazer uma turnê pelo mundo e falar de Jesus às pessoas.

O propósito da NLM era levantar a cruz na cena secular. Havia por aí muitas bandas cristãs tocando boa música para cristãos, e havia bandas de cristãos tocando na cena musical secular, mas eram mais como agentes secretos disfarçados. A NLM não tocava em igrejas ou festivais cristãos. Tocávamos em boates, em festivais seculares, em praças públicas. Mas estávamos longe de ser agentes secretos disfarçados.

A NLM se envolveu em muitos estilos musicais diferentes

ao longo dos anos, sempre mudando com o tempo, mas uma coisa permaneceu a mesma: a dramatização moderna da crucificação e ressurreição de Jesus. No entanto, provavelmente o que mais marcou a NLM foi o incrível impacto que o poder do evangelho exerce em multidões de todo o mundo onde o evangelho raramente é pregado. Ao longo dos últimos trinta anos, milhares de pessoas responderam às boas-novas por meio dessa apresentação. Em cada turnê de que participei, deparei com pessoas dizendo que conheceram Jesus pela primeira vez através de um concerto da NLM e agora eram pastores ou plantadores de igrejas em alguma parte do mundo.

Parque da Peste

A turnê estava uma loucura naquela época. Recebemos uma lista de lugares onde tocaríamos e músicas que deveríamos aprender. Tive de reservar todas as minhas passagens de avião e esperar que, de algum modo, todos nós compareceríamos ao lugar certo na hora certa e conheceríamos as músicas bem o suficiente para pegar a estrada depois de uma semana de ensaios intensos.

Em 2007, chegamos a Helsinque, na Finlândia, recepcionados por Kakkerlak ("barata" em holandês) no aeroporto. Ele era um missionário polonês da Steiger servindo na Finlândia, a quem David, por alguma razão, deu um apelido holandês. Ele nos disse que havia organizado uma grande apresentação na Noite de Artes do Festival de Helsinque, em um lugar chamado Ruttopuisto, que significa "parque da peste", aparentemente porque ali funcionava um cemitério.

Eu nunca tinha visto tanta novidade em moda alternativa em um só lugar. O Parque da Peste estava lotado, e os jovens já estavam em sua maioria bêbados e drogados às 19h. Umas garotas vieram até mim e perguntaram se lésbicas poderiam vir a nosso *show*. Eu disse: "Claro, tragam todas elas!". E, ao que parece, foi exatamente o que fizeram.

Alguns de nós decidimos dar uma volta e falar com as pessoas. Aproximamo-nos de um grupo e perguntamos o que eles esperavam do *show*. Sem saber que estávamos com a banda, foram bastante honestos conosco:

— Ouvimos dizer que vai ter uma banda muito ruim tocando aqui hoje à noite. São uns cristãos do c******!

Uma garota de aparência doce com um boné de aba reta e calça cheia de rasgos acrescentou:

— Eu sou ateia, a propósito.

— O que vocês têm contra o cristianismo? — perguntei.

— Está ultrapassado — explicou outro rapaz, encostado casualmente em uma lápide. — Não acho que precisamos de religião. Só precisamos de amor.

— Isso mesmo! — um de seus amigos acrescentou. — Deus não existe, então bandas cristãs de *rock* também não deveriam existir.

Tentando não deixar que a coisa se virasse contra mim, perguntei:

— Então, em que vocês acreditam? Qual é o propósito da vida para vocês?

Um sujeito de pele pálida com um moicano preto alto e casaco de couro segurou sua garrafa de cerveja e disse:

— Levanto, tomo café da manhã, vou trabalhar e depois vou tomar uma cerveja.

Uma menina ao lado, com cabelo preto bem escuro e mechas rosas, interrompeu:

— Não existe propósito nenhum! — Seu namorado riu e lambeu sua orelha.

Enquanto caminhava de volta para a área do palco, pisando poças de urina e garrafas quebradas, tentei imaginar como aquela multidão reagiria à nossa apresentação. Quando cheguei à porta do *trailer* onde nossa banda estava se reunindo para orar, havia um *punk* alto urinando na porta.

Quando entrei, a equipe orava para que Deus lhes desse seu coração pelas pessoas naquela noite. Na realidade, porém, eu não queria estar lá, e certamente não me senti muito compreensivo com o *punk* que estava profanando nossa porta lá fora. Mas, enquanto eu orava, percebi que Deus não via um público alternativo e intimidante lá fora. Ele via seus filhos se desperdiçando com drogas e álcool, perdidos e confusos. O coração divino estava partido por eles. Lágrimas começaram a escorrer pelo meu rosto, e pedi a Deus que me ajudasse a mostrar àqueles jovens que, sim, ele era real e se importava com eles.

Quando a apresentação teve início, umas quatrocentas pessoas se reuniram em frente ao palco. Depois da cena da crucificação e ressurreição, David concluiu com uma mensagem direta convidando as pessoas a conhecer Jesus. A atmosfera havia mudado completamente. De repente, as pessoas pareciam realmente abertas, e a presença de Deus era palpável. Um grupo se reuniu à nossa volta quando saímos do palco, e o David os convidou para orar. Fiquei arrepiado à medida que vários dos que estavam ali foram se juntando a nós, repetindo em voz alta a oração.

Um rapaz que conheci parecia totalmente impressionado com o fato de eu estar falando com ele sobre Deus. Descreveu várias situações em sua vida em que se deu conta de que Deus se dirigiu a ele. Estava começando a fazer sentido para ele a realidade de que Deus existia e se preocupava com sua vida.

Ele me disse que não queria se tornar um "cara religioso", mas que desejava saber mais sobre Jesus. Incentivei-o a orar e ler sua Bíblia. Depois de trocarmos *e-mails*, deixei-o lá refletindo.

Somos conectados

Eu tive conversas muito parecidas sobre fé, Deus e o propósito da vida com meus amigos da universidade, e com muitas pessoas em todos os países por onde viajamos: Alemanha, Polônia, Islândia, EUA, Brasil, Chile, e lugares na Ásia e no Oriente Médio, como Quirguistão, Turquia e Líbano. Aonde quer que fôssemos, encontrávamos uma realidade semelhante. Você pode estar em Tóquio, Beirute, Londres, Nova York ou São Paulo, e os jovens compartilharão valores, mentalidades e estilos de vida semelhantes. Estamos todos comprando a mesma tecnologia, usando as mesmas camisetas, ouvindo as mesmas músicas, assistindo aos mesmos filmes, e postando tudo isso no Facebook e Instagram.

Quando fizemos uma turnê em Beirute, no Líbano, nos conectamos com uma florescente cena de música *rock* e tocamos em um festival com bandas de toda a cidade. Em certo ponto, o organizador nos disse que um ônibus de uma região pertencente ao Hezbollah havia chegado e que a próxima banda a tocar era uma banda de *thrash metal* do Hezbollah. Nunca imaginei essa combinação de palavras juntas. Depois do *show*, passei um tempo com três caras dessa banda em uma cafeteria do outro lado da rua. Perguntei-lhes sobre sua fé. Eles explicaram que seus documentos de identidade diziam que eles eram muçulmanos e que seus pais eram muçulmanos, mas não era o caso. Eles se consideravam ateus, porque não concordavam com a religiosidade de seus pais. Ao olhar para suas camisetas do Iron Maiden e do Metallica, a sensação foi como se tivesse ouvido as mesmas histórias de jovens de São Paulo.

Alguns dos exemplos que compartilho podem soar como se eu estivesse falando de certas subculturas ou grupos marginais. Descobri que as características e a mentalidade que descreverei como a Cultura Jovem Global representam a cultura predominante e mais popular na juventude em cidades de todo o mundo. Pense em quão conectados estamos hoje. A maioria da população mundial vive em centros urbanos interligados através de comunicações *on-line* de alta velocidade, redes sociais e uma influente e poderosa indústria de entretenimento. Esta geração compartilha uma cultura global acelerada, que muda a todo instante.

Na maior parte da história humana, a cultura originou-se e desenvolveu-se no contexto da família e da tradição. Mas a era da informação atual, com sua tecnologia e comunicação em constante avanço, mudou drasticamente a forma como a história, a arte e os costumes são compartilhados. Antes, aprendíamos sobre a vida perguntando a nossos pais e lendo livros. Agora nos voltamos para *youtubers* para nos dizer o que pensar sobre a vida, o que fazer com nosso tempo, que produtos comprar e até mesmo como votar.

Em outras palavras, as narrativas e os valores provenientes das redes sociais e da indústria do entretenimento são muito mais influentes entre os jovens de hoje do que aquelas narrativas e valores da família e das tradições, tanto em países ocidentais como em qualquer outro lugar do mundo com conexão à internet.

Já em 2011, um artigo no *Guardian* descrevia como "crianças aprendem cultura, fofocas e comportamentos através do Google e do Facebook. Eles estão constantemente *on-line*, constantemente se promovendo e constantemente conectados". O artigo também citava um estudo acadêmico da professora de psicologia social Sonia Livingstone: "A internet tornou-se o lugar onde os jovens mais encontram a oportunidade de explorar e expressar suas identidades e suas relações sociais, navegando em meio aos valores que lhes são ofertados".[1]

Em 2018, estatísticas dos EUA mostravam que 95% dos jovens tinham acesso a um *smartphone* e 45% deles diziam ficar *on-line* quase o tempo todo.[2] Do outro lado do Atlântico, os números são semelhantes. Na Holanda, "29% dos jovens de 18 a 24 anos se diziam viciados em mídias sociais",[3] e 83% da população adulta no Reino Unido utiliza um ou mais canais de mídia social.[4]

Um amigo que visitou recentemente a China experimentou uma refeição tradicional sentado em torno de uma grande mesa redonda que, no passado, representava parte importante da vida familiar: a oportunidade de estar juntos enquanto dividiam a comida e uma ou outra história. No entanto, ao olhar em volta para os jovens e adolescentes sentados ali, cada um deles estava absorvido em um tipo diferente de reunião em seus *smartphones*, ouvindo e vendo histórias da rede global.

Quando minha família se mudou para o Brasil em 1992, morávamos em uma área cercada por blocos de apartamentos em ruas tranquilas. Minhas irmãs e eu brincávamos na rua na maioria das tardes, onde aprendemos a língua e os costumes de nosso novo lar. Aprendemos sobre festas caipiras e Saci-pererê, bolinhas de gude e pipas, *skates* e futebol, ioiôs e Super Nintendos, tudo em nosso bairro, dentro de um círculo de amigos e conhecidos. Embora muitos produtos que se tornaram parte de nosso ambiente tenham vindo de outros países e sido introduzidos através de comerciais de televisão ou cartazes publicitários, as tendências culturais eram compartilhadas localmente.

A primeira vez que percebi de fato o poder e a velocidade desse novo ambiente foi quando uma banda local de Curitiba "viralizou" durante a noite com um vídeo do YouTube, em 2011. Claro, "vídeos virais" já existiam pelo menos desde 2007, quando gravações caseiras aleatórias como "Charlie Mordeu Meu Dedo" começaram a obter milhões de visualizações. Mas eu não tinha vivenciado isso tão perto de casa, tampouco percebido como uma expressão local poderia subitamente tornar-se global. A Banda Mais Bonita da Cidade lançou uma música chamada "Oração", e em menos de um mês atingiu mais de 6 milhões de pessoas. E eles não foram a única banda ou expressão artística a descobrir essa nova maneira de compartilhar seu material. A cena musical e cultural no Brasil estava mudando rapidamente, assim como as cenas culturais na maioria das grandes cidades do mundo.

Avance uma década e temos artistas como Billie Eilish, que, aos 16 anos, lançou seu EP de estreia em agosto de 2017 e alcançou 132 milhões de *streams* apenas no Spotify em outubro de 2018. Sua primeira turnê mundial, com *shows* quase sempre lotados pela Austrália, Ásia, Europa e EUA, mostrou como estamos globalmente conectados.

Uma mudança na cultura significa mudanças em todas as áreas da vida. O namoro casual tornou-se uma atividade global, com aplicativos como o Tinder ostentando 50 milhões de usuários em 196 países.[5] O poder de mobilização de nossa conectividade também é evidente em causas de caridade ou sociais, como o Desafio do Balde de Gelo ou o #BlackLivesMatter. Até celebridades como o ex-presidente Obama, a cantora Lady Gaga e o empresário Bill Gates se juntaram à campanha viral das redes sociais que ajudou a Associação ALS a arrecadar mais de 115 milhões de dólares para uma pesquisa referente ao tratamento da esclerose lateral amiotrófica (ELA). O Black Lives Matter mobilizou todo um movimento social e político, com a *hashtag* #BlackLivesMatter sendo usada mais de 12 milhões de vezes no Twitter.[6]

Ironicamente, esses avanços tecnológicos que ultrapassam as fronteiras geográficas e que, supostamente, colaborariam para uma melhor conexão entre as pessoas, estão, em certos aspectos, nos afastando uns dos outros. Vários estudos ao longo dos últimos anos mostraram que uma maior conectividade nas redes sociais pode, na verdade, ter o efeito oposto, provocando uma maior sensação de solidão. Um estudo de universitários no Reino Unido descobriu que a interação social na vida real diminuiu com o uso excessivo do Twitter, o que resultou no sentimento de solidão.[7] E, como um artigo da revista *Psychology Today* coloca, "redes sociais como o Facebook tornaram-se substitutos para a busca de conectividade e, como consequência, nossas conexões crescem em amplitude, mas também em superficialidade".[8]

É inegável que as redes sociais estão mudando a forma como nos relacionamos uns com os outros. Ouvi dizer que um recurso que o Facebook estava testando consiste em sugerir tópicos para conversa com amigos específicos. Coisas como "André acabou de visitar a galeria no centro da cidade, pergunte o que ele achou disso". Essas plataformas criaram uma maneira rápida e impessoal de permanecermos constantemente em contato com todos que já conhecemos, mas sem profundidade ou compromisso.

A solidão não é o único efeito colateral da tendência "veloz e furiosa" de nossa cultura global. O jornal *on-line* britânico

Independent publicou recentemente um artigo afirmando que "o uso frequente das redes sociais faz a pessoa se sentir cada vez mais infeliz e isolada no longo prazo". Descreve como a prática de comparar a própria vida com perfis e fotos cuidadosamente personalizadas leva o usuário a sofrer com baixa autoestima, e que olhar compulsivamente para o *feed* das redes sociais pode atrapalhar o sono e afetar o nível de atenção. E conclui que esse estilo de vida *on-line* também pode levar a problemas de saúde mental mais graves, citando uma pesquisa na qual 41% dos participantes afirmaram que o uso das redes sociais faz com que se sintam ansiosos e deprimidos.[9]

Outra mudança importante nesta cultura global é a facilidade física da mobilidade. Não estamos apenas conectados *on-line*, mas somos mais propensos a nos mover em um mundo que parece muito menor do que décadas atrás. O sociólogo polonês Zygmunt Bauman descreveu uma atual "compressão do tempo-espaço", que ocorre não só por causa da nova velocidade com que a informação voa ao redor do globo, mas também pelo rápido desenvolvimento de métodos de transporte.[10]

A Organização Mundial do Turismo divulgou uma pesquisa segundo a qual 2016 foi o sétimo ano consecutivo de crescimento sustentado do turismo internacional, com um total de 1,235 bilhões de viajantes em todo o mundo.[11] O segmento etário de crescimento mais acelerado em viagens internacionais são os jovens de 16 a 34 anos, 20% de todos os turistas internacionais, segundo estimativas das Nações Unidas. E a maneira como as gerações mais jovens viajam também é diferente, mais orientada para a busca de experiências significativas, "explorando destinos mais remotos, ficando em albergues em vez de hotéis, e escolhendo viagens de mochila de longo prazo em vez de excursões de duas semanas".[12]

Não é de admirar que Zygmunt Bauman descreva nossa cultura global como "líquida". Estamos sempre em movimento. Não conseguimos nos aquietar. Não ficamos em um só lugar, seja físico ou digital. A vida acelerou o passo. Nunca há tempo suficiente. Não há tempo para conhecer o outro e construir relacionamentos autênticos. Não há tempo para pensar nas grandes questões da vida, em nosso propósito, no significado de tudo isso.

A facilidade de movimento, e a velocidade com que nos movemos, elimina nossa capacidade de esperar e de manter compromissos, deixando-nos inquietos, num constante estado de ansiedade e insatisfação. Temos dificuldade em nos concentrar, em persistir na busca de um objetivo, em manter um relacionamento de longo prazo ou um emprego, ou mesmo em dedicar tempo suficiente a qualquer pensamento ou situação que resulte num compromisso verdadeiro.

Assim, ficamos sem um senso de propósito, substituindo-o pelo ímpeto de seguir em frente, à procura da próxima sensação, com foco no aqui e agora. Estamos num vácuo sem fim, sem conclusão à vista. Como Bauman coloca, "nesta corrida atrás de novos desejos, em vez de satisfação, não há nenhuma linha de chegada patente".[13]

Esta cultura global ocasiona grandes mudanças na forma como vemos a nós mesmos, nossas comunidades e o mundo. Ela transforma nosso mundo, que deixa de ser uma série de comunidades locais separadas para se tornar uma grande e móvel massa. Com isso, são reformuladas a forma como levamos a vida e até aquilo em que acreditamos. Sem dúvida, ainda existem diferenças culturais locais, mas um ponto-chave a ser entendido aqui é que, para esta geração internacional móvel e nativa da internet, o global supera local. Nesse sentido, é razoável dizer que a Cultura Jovem Global é a cultura mais ampla e unida da história. E, com efeito, a maior cultura não alcançada pelo evangelho hoje.

Somos consumistas

Em uma pesquisa da MTV de 2008, os jovens no Brasil se caracterizaram usando três palavras predominantes: *vaidade, consumismo e indiferença.*[14] O consumismo é uma das principais forças motrizes por trás desta cultura global. Crescendo bombardeados pela indústria do entretenimento, inundados por ondas de novas experiências em busca de prazer, soluções superficiais e *fast food,* ficamos viciados. Viciados em produtos, tecnologia, Netflix, relacionamentos superficiais, sexo, drogas e *rock'n'roll*. Somos a geração que quer mais e quer agora, mas não sabemos realmente *o que* queremos.

Acreditamos que podemos comprar nossa identidade através da escolha do consumidor: as roupas que usamos, as músicas que ouvimos, as postagens que compartilhamos, os produtos que consumimos. Tudo isso define quem somos. Mas as opções são infinitas, deixando-nos atordoados e confusos, incapazes de nos definirmos. Isso leva a uma crise de identidade. Quem somos e para que vivemos? A vida é só isso?

Bauman mostra como o consumo está intimamente relacionado com a identidade na cultura do consumidor: "A forma como a sociedade atual molda seus membros é ditada, antes de mais nada, pelo dever de desempenhar o papel do consumidor".[15] Tanto é assim que resistir a esses desejos e práticas de consumo é uma afronta ao sistema. Talvez uma das atitudes mais subversivas na sociedade de consumo seja justamente contentar-se com o que se tem e com quem se é.

De igual modo, o consumismo também afeta nossas relações. Começamos a tratar as pessoas como tratamos as coisas. Sem tempo para compromisso, fazemos uso de um relacionamento enquanto ele nos beneficia, enquanto ele satisfaz. À medida que envelhece, ficamos impacientes, querendo entrar na próxima novidade. Facilmente nos livramos de pessoas que não servem mais a nossos propósitos e seguimos em frente com pouca ou nenhuma consequência. Assim, os relacionamentos tornam-se frágeis, fugazes e superficiais. Como diz a música de Lucas Nord que não sai da minha *playlist* do Spotify: "I don't need your love no more" [Não preciso mais do seu amor].

Ao conferir tamanho valor à independência autossuficiente e à individualidade, mantemos as pessoas a uma distância segura. "Não a união, mas a evasão e a separação tornaram-se estratégias predominantes de sobrevivência na megalópole contemporânea."[16]

Quando enfrentamos crises de identidade e relacionamentos rompidos, facilmente nos voltamos para os vícios. A pornografia foi normalizada em nossa cultura, defendida por muitos psicólogos e sexólogos como um estímulo saudável para as relações. Estatísticas recentes indicam que 79% de jovens do sexo masculino veem pornografia ao menos uma vez por mês, e 76% de jovens do sexo feminino veem pornografia com a mesma frequência. Cerca de 60% dos rapazes veem pornografia várias vezes por semana.[17] Mas essa sexualidade embalada para consumo alimenta uma indústria multimilionária e resulta em vício, cinismo, incapacidade de se comprometer com um parceiro, falta de confiança e famílias despedaçadas.

Talvez um de nossos maiores vícios sejam as redes sociais, com cerca de 20% dos usuários incapazes de atravessar algumas poucas horas sem consultar o Facebook, e 28% dos usuários de iPhone verificando seu *feed* do Twitter antes mesmo de saírem da cama de manhã.[18]

Para os consumidores mais jovens em particular, os *video games* tornaram-se um escape viciante. Um estudo com três mil crianças e adolescentes mostrou que 72% dos domicílios possuíam *video games*, e o uso médio era de vinte horas por semana. É o equivalente a um trabalho de meio período.[19]

O vício mata nossa paixão. Esse é o efeito final do consumismo: a indiferença. Ficamos entorpecidos pela busca insaciável de prazer imediato. Lemos um livro ou vemos um filme que nos inspira, e pensamos que podemos fazer algo com nossa vida, que talvez possamos mudar o mundo. Mas então aparece a próxima fonte de entretenimento para nos distrair, ou então vamos às compras, e esse pensamento revolucionário desaparece.

No ano em que tivemos a incrível oportunidade de levar nosso *show* para o Oriente Médio, agendamos apresentações em Beirute e em várias cidades na Turquia. Mas tivemos um desafio logístico, uma vez que precisávamos levar nosso equipamento de Beirute para Istambul. A melhor solução foi carregar tudo dirigindo. Em 2007, antes do conflito sírio, essa seria uma opção razoavelmente viável. Só precisávamos de alguém que conduzisse a *van* com o equipamento. Achei que seria fácil encontrar um voluntário para isso. Afinal, seria uma emocionante oportunidade voluntária de verão, fazer uma turnê pelo Oriente Médio com uma banda de *rock*, falando de Jesus às pessoas e fazendo a diferença na vida delas.

Mas ninguém de nossa ampla lista de contatos respondeu ao nosso *e-mail* anunciando o cargo. Foi o ano em que o jogo *Call of Duty 4* saiu, e me lembro de pensar nesses sujeitos atravessando o Oriente Médio com uma metralhadora dentro de uma TV de tela plana, imaginando a si mesmos como heróis, mas sem paixão para fazer algo significativo de verdade, como dirigir uma *van* que buscava levar paz a uma região em conflito. O vício mata nossa paixão. Faz de nós zumbis. Por fim, um pai e um filho da Nova Zelândia responderam ao chamado e tiveram a experiência transformadora de servir à missão juntos em uma região do mundo não alcançada pelo evangelho.

Conectados, mas solitários. Podemos viajar por toda parte e receber informações intermináveis na palma da mão, mas sofremos com ansiedade e insatisfação. O consumismo leva a crises de identidade, relações superficiais e vícios. O vício leva à perda de paixão. Somos a geração que cresceu cercada por essa realidade. Quem pode nos dizer quem somos? Quem pode nos ensinar o que significa amar e ser amado? Como encontrar uma paixão e um propósito para viver?

4
Aquilo em que se acredita importa

"A vida é dura. Você tem de lutar, e acreditar em si mesmo. Não dê ouvidos para o que os outros pensam. Você é capaz. Você pode fazer algo incrível com sua vida! Essa é nossa mensagem. Não estamos sob a bandeira de nenhuma religião ou partido político. Basta ter fé, acreditar em algo!"

Enquanto eu estava lá ouvindo essa banda *hardcore* de São Paulo e a figura magra tatuada do vocalista pregando apaixonadamente sua mensagem, ela pareceu convincente e positiva em geral, mas algo simplesmente não parecia se encaixar. Se está tudo bem e temos apenas de acreditar em nós mesmos, se somos realmente capazes, então por que não estamos chegando a lugar nenhum? Por que nos sentimos tão sozinhos quando colocamos a cabeça no travesseiro à noite? Por que tantos dizem não encontrar paixão nem propósito na vida?

Sempre procuro ouvir pontos de vista diferentes dos meus quando se trata de conversas mais profundas. Quando viajávamos pelo mundo com a No Longer Music, às vezes filmávamos entrevistas de rua. Isso nos ajudava a entender como as pessoas pensavam, quais eram suas crenças e dúvidas. Certa vez, estávamos entrevistando pessoas na calçada de um estabelecimento em São Paulo, perguntando: "Qual é seu propósito na vida? Quais são seus sonhos e ambições?". Uma garota respondeu: "Eu não sei. Sou uma dos muitos jovens que não têm mais sonhos".

Na maior parte do tempo, apenas seguimos com a vida e não pensamos muito nessas questões. Uma vez, fizemos esse mesmo tipo de entrevista em Wellington, na Nova Zelândia. Uma garota respondeu: "Divertir-se, curtir a si mesmo. Se você passar a vida toda procurando um sentido, vai só perder tempo... porque não há sentido nenhum".

Eu quis responder contando como encontrei esperança e propósito em Jesus. Mas descobri cedo que a cultura global segue um conjunto de valores e uma visão de vida muito diferentes. Certa ocasião, conversando com um grupo de jovens em frente a um clube noturno, chegamos ao tema da crença em Deus. Um rapaz explicou: "Eu acredito que pode haver um deus, ou seja lá o que você quiser chamar, mas ele não interfere em nossa vida".

A primeira vez que deparei com esse tipo de visão foi na universidade. A exemplo da maioria das faculdades de arte, aquela se apegava fortemente aos valores humanistas e seculares, incentivando o liberalismo e a tolerância com tudo — exceto com a religião. Minha fé era rejeitada como sendo opinião própria e, portanto, totalmente irrelevante para a questão.

Apesar de me dizerem que minha fé não deveria influenciar meu trabalho e meus estudos, achava quase impossível evitar, pois ela é central para quem eu sou. Em minha dissertação de conclusão de curso, decidi escrever sobre quanto nossa cosmovisão afeta tudo o que fazemos. Saí por aí perguntando a alunos e professores algumas daquelas grandes perguntas que identificam uma cosmovisão, como "Qual é o significado da vida?" ou "Como você define beleza e bondade?". Curiosamente, uma das respostas mais comuns foi "Não sei. Nunca pensei muito a esse respeito".

Mas aquilo em que acreditamos importa. Se eu acredito que posso voar, então saltar do telhado de casa não deve importar — até que eu quebre uma perna. Se eu acredito que posso dirigir bêbado, então vou fazê-lo — até que mate uma pessoa e seja condenado à prisão. Se eu acredito que bebês que ainda não vieram à luz não são pessoas e apoio seu assassinato, logo a vida humana não significará muito para mim.

A maioria dos meus colegas vivia segundo a mentalidade humanista secular predominante de nosso tempo, muitas vezes sem nunca terem pensado detidamente nisso. Seja observando tendências nas redes sociais, conhecendo pessoas nas ruas e em bares, ou indo para a universidade, a sensação é de que essa mentalidade ganhou o globo. Na superfície, parece que as pessoas têm esperança e desejo de ver alguma mudança. Que acreditam que a mudança é possível e que somos capazes de fazer o bem. Mas, quando investiguei mais a fundo e fiz perguntas mais amplas sobre a vida, encontrei desesperança, desânimo, falta de propósito e confusão.

De onde vem essa mentalidade? Onde obtemos nossos valores comuns nesta cultura global?

Cosmovisão globalizada

A cultura global descrita no último capítulo não está apenas nos conectando ou tentando nos vender algo. Ela está criando uma cosmovisão unificada que aos poucos vem dominando qualquer cosmovisão local, tradicional ou religiosa.

Uma cosmovisão é a reflexão e as conclusões do ser humano acerca da vida e do mundo à sua volta. Do professor de filosofia ao iletrado, quer tenham consciência disso ou não, todos têm uma cosmovisão.[1] Mas isso, obviamente, não é algo que surge no ar. Nossa cosmovisão está relacionada com nosso contexto e com as principais vozes que nos influenciam, derivando-se delas. Somos sempre influenciados pelo *zeitgeist*, o espírito do tempo. E, no contexto da globalização, um *zeitgeist* global, poderosamente impulsionado pelo meio de comunicação mais rápido e eficiente que a humanidade já viu, será certamente a influência primária na visão pessoal de um indivíduo.

A cultura global de hoje tem uma cosmovisão predominante: o humanismo secular. É ensinado em nossas escolas e universidades, usado por estratégias econômicas, pela publicidade e a indústria do entretenimento. É enfatizado no estilo de vida de consumidor que a televisão e a internet vendem e pregado pela maioria desta geração nas redes sociais.

O humanismo em si simplesmente afirma o valor inerente dos seres humanos. É uma visão positiva do potencial e da beleza da humanidade, algo com que a maioria das religiões, inclusive o cristianismo, concordaria. Mas a forma predominante de humanismo que vemos hoje propagandeada é o humanismo secular, que dá um passo adiante, dizendo que os seres humanos não só têm valor e potencial, mas que somos centrais e autossuficientes.

O Manifesto Humanista de 1973 declara: "Nenhuma divindade nos salvará; devemos nos salvar" e "Somos responsáveis pelo que somos e pelo que seremos".[2] Esse tipo de pensamento faz da humanidade a referência da verdade, da moralidade e do propósito, bem como a peça central para a progressão da sociedade. É uma cosmovisão que rejeita os sistemas morais formais e mergulha a sociedade numa amoralidade que idolatra a independência e a escolha individual.

O humanismo secular é, portanto, o parceiro perfeito para o impulso consumidor desta cultura global. Essa perspectiva de "sobrevivência do mais forte" e foco materialista exige uma cosmovisão sem moral ou propósito claro, apenas um desejo de lucro. Na verdade, é muito difícil dizer se foi a cosmovisão humanista secular que levou à cultura de consumo ou se a cultura de consumo abriu o caminho para essa cosmovisão. De toda forma, o consumismo incentiva o humanismo secular e é por ele incentivado.

Uma vez que se tornou a cosmovisão predominante da maioria, o humanismo secular é agora a norma. É assim que as coisas são; é o que todos pensam, e, portanto, é aceito sem questionamento. O humanismo secular finge ser tolerante enquanto empurra agressivamente para as margens qualquer outra cosmovisão ou fé.

Então, em que exatamente nos dizem para acreditar? O que é, afinal, o humanismo secular?

Desesperados

O humanismo secular diz que não há verdade. A verdade não pode ser definida. O teólogo e filósofo americano Francis Schaeffer, uma das grandes mentes cristãs do século 20, descreveu essa mudança na forma como vemos a verdade como "pisar abaixo da linha do desespero".[3]

Começou com uma revolta. Uma reação à visão cristã de longa data e aos valores que levaram à nossa atual sociedade pós-cristã. O Iluminismo, a Era da Razão do século 18, questionava tudo, inclusive o cristianismo e a religião em geral. Inicialmente, o movimento iluminista presumia que havia uma verdade lá fora, mas foi cada vez mais se distanciando da autoridade bíblica. Em vez disso, a humanidade se voltou para a ciência e a filosofia.

Embora rejeitando a metanarrativa cristã, os filósofos continuavam a buscar encerrar todas as ideias e conceitos em uma única verdade pan-abrangente. Mas essa missão racionalista do Iluminismo também fracassou. Não conseguimos encontrar uma verdade pan-abrangente na filosofia, e aos poucos perdemos a confiança na capacidade da ciência de encontrar todas as respostas. Isso levou a uma segunda revolta, desta vez contra a própria racionalidade modernista. Essa rejeição do sonho modernista de encontrar e definir a verdade tornou-se conhecida como pós-modernismo.

Schaeffer descreve assim esse momento: "Acima da linha do desespero os homens eram otimistas racionalistas. [...] Então, foi como se os racionalistas de repente se vissem presos em uma grande sala redonda sem portas e sem janelas, nada além de completa escuridão".[4]

Quando questionamos tudo de forma interminável, destrinchando tudo, desconstruindo cada instituição e conceito, acabamos com nada além de trevas. Como C. S. Lewis apontou uma vez: "Não é possível sair por aí 'vendo através' de tudo para sempre. O sentido de ver através de algo está em enxergar para além desse algo. 'Ver através' de todas as coisas é o mesmo que não ver".[5]

Foi esse o "pisar abaixo da linha do desespero" de Schaeffer, a conclusão de que a verdade não pode mais ser definida por ninguém, seja pela religião, a ciência ou a filosofia. A referência para a verdade já não é o cristianismo ou a ciência, mas nós mesmos, nossas próprias opiniões. A verdade tornou-se relativa; agora, depende do ponto de vista de cada pessoa.

Schaeffer explica que isso acontece em etapas, como uma escadaria, através consecutivamente das seguintes esferas da cultura: filosofia, arte, música, cultura geral e, então, até mesmo a teologia. Capturados por artistas, que Schaeffer chamou de "as almas sensíveis" de nossa geração, e transmitidas por meio de sua arte e música, esses mesmos conceitos chegam às massas, à cultura geral. Uma vez que ícones *pop* como John Lennon estavam cantando a respeito, a influência tornou-se global: "Eu acredito em deus, mas não como uma coisa, não como um velhinho lá no céu. Acredito que o que as pessoas chamam de deus é algo que está dentro de todos nós".[6]

Na superfície, essa cosmovisão é confiante e arrojada, dando protagonismo à humanidade. É bonita, apresentando valores aparentemente positivos e uma perspectiva otimista. Mas, lá no fundo, negar qualquer forma de verdade definida e absoluta é como perder o chão sob os pés. Cria um vácuo, uma visão temporal rasa da vida. O que importa é o aqui e o agora. As únicas coisas importantes são o que penso e o que quero. Essa visão ajudou a formar uma cultura narcisista, consumista e vazia. No fim das contas, leva a uma profunda sensação de perda e desespero.

Arrogantes

Em 2014, a Sociedade Humanista Britânica lançou uma série de vídeos promovendo a cosmovisão humanista. Eram narrados por um dos meus comediantes britânicos favoritos, Stephen Fry. No vídeo intitulado "O que faz algo certo ou errado?", Fry explica: "Os humanistas não buscam regras em deuses, mas pensam cuidadosamente sobre o que pode ser a melhor maneira de viver".[7]

Quando são removidas todas as referências à verdade, à realidade, à moralidade ou ao propósito, em última análise fica a encargo de cada um de nós descobrir as coisas por conta própria. O humanismo secular nos coloca no centro. Decidimos o que fazemos com nossa vida. A escolha individual é o valor mais importante.

Essa foi uma resposta recorrente que recebi ao compartilhar minha fé na universidade: "Essa é a sua opinião". Certa vez, uma amiga e eu estávamos tendo uma conversa profunda quando ela mencionou a história do elefante e dos homens cegos. Um grupo de cegos tateia o elefante e procura defini-lo. Um encontra uma perna e diz que o elefante é como um pilar; outro depara com a cauda e diz que é como uma corda; outro encontra a tromba e diz que é como um galho de árvore; outro sente uma orelha e diz que é como um leque; outro encontra a barriga e a descreve como uma parede; outro ainda toca uma presa e a descreve como um tubo sólido. O narrador conclui que todos eles estão certos. Eles apenas descobriram o elefante de perspectivas diferentes.

Aparentemente, o argumento faz algum sentido, mas como Timothy Keller aponta em seu livro *A fé na era do ceticismo* ele esconde uma arrogância considerável ao fazer todos os personagens cegos, exceto o próprio narrador. O narrador decide sobre a conclusão final — a verdade da questão. O cristianismo e qualquer outra visão são agora considerados um dos homens cegos, enquanto o humanista secular se entende como o narrador que diz aos outros que eles estão apenas parcialmente certos. "Como você poderia saber que nenhuma religião pode ver toda a verdade a menos que você mesmo tenha o conhecimento superior e abrangente da realidade espiritual que você acabou de afirmar que nenhuma das religiões tem?"[8]

É crucial que entendamos isso. Aos olhos dessa cosmovisão predominante, o cristianismo, a Bíblia e o Deus cristão não passam de uma opção entre muitas outras. E meu livre-arbítrio consumista tem primazia sobre textos sagrados e tradições milenares, concedendo-me a sabedoria para dizer "isso é verdade" e "isso não é". Lembre-se, a verdade já não pode ser definida. O cristianismo e a religião em geral tornaram-se marginalizados. De acordo com os humanistas seculares "tolerantes", o cristianismo ainda tem permissão para emitir uma palavra sobre as coisas, mas certamente não possui um assento na primeira fila, e é geralmente recebido com ceticismo e preconceito. Esse secularismo relegou a religião às margens da sociedade.

Mas essa arrogância é falha. O humanismo secular precisa de uma dose de seu próprio veneno. As regras que tão fielmente impõe a todos, não impõe a si mesmo, nem poderia. Ao dizer que não há verdade absoluta, estou de fato definindo uma verdade absoluta. O fato é que o relativismo, como uma das premissas básicas do humanismo secular, é profundamente falho e facilmente desmascarado. Seu raciocínio central é um tiro no próprio pé. Ele serra o próprio galho em que se assenta. Ao se propor questionar e desconstruir, ele se desconstrói. É surpreendentemente frágil e superficial e, no entanto, é pregado como um valor inquestionável, crido e aceito sem margem para dúvidas por aqueles que se apegam a essa mentalidade globalizada.

Somos demais... vazios demais

Então, se não há verdade absoluta e somos nós que definimos a verdade, o certo e o errado, e o que queremos fazer com nossa própria vida, qual é o significado e o propósito da existência? Como definimos isso?

Terry Eagleton, um filósofo humanista atual, procurou responder a essa questão em seu livro *O sentido da vida*: "Um sentido para a vida posto lá por Deus, e um evocado por nós mesmos, talvez não sejam as únicas possibilidades. [...]

O sentido é também um processo infinitamente inacabado, um embaralhamento de um signo para outro sem medo ou esperança de fechamento".[9]

De certa forma, a mentalidade humanista predominante está dizendo que paremos de levar a vida tão a sério, a questão é relaxar e aproveitar! É assim que passamos a não nos importar com um grande sentido ou propósito para a vida, a não nos preocupar com aquilo em que acreditamos.

Eagleton conclui em seu livro que o sentido da vida é encontrar felicidade e amor. Muito bem. Na superfície, parece uma maneira positiva, bonita e aceitável de ver a vida. Ser feliz e amar uns aos outros. O problema é: não foi exatamente o que sempre procuramos fazer? Que homem ou mulher ao longo da história não quis ser feliz ou amar e ser amado? E, no entanto, não parecemos estar mais próximos de alcançar isso.

O verdadeiro problema aqui é que, quando destruímos a verdade e a moralidade e fazemos de nós mesmos o ponto de referência, quem define o que é amor e o que é felicidade? Toda essa mentalidade nos deixa com muitas perguntas sem resposta, mas como Eagleton apontou, para um humanista está tudo bem. Não precisamos saber. Mas não consigo deixar de pensar que tudo isso é uma grande farsa, uma cilada. Se não posso definir a verdade, então não posso definir amor e felicidade, e mesmo assim é o que todos estamos procurando. É para isso que se espera viver. Palavras vazias, sem significado real por trás delas.

As redes sociais estão cheias dessa farsa. Dizemos coisas que não têm mais significado, mas que soam bem. Terroristas bombardeiam Paris e, de repente, todos os *tweets* pedem #PrayforParis ou adicionam um filtro de fotos ao perfil do Facebook. Nossa cultura global ensina que ninguém pode definir de fato para quem estamos orando, ou o que afinal é orar, mas parece que cai bem dizer que estou orando. Publicamos e tuitamos frases bonitas sobre sermos felizes e amarmos uns aos outros, pregamos liberdade e democracia, acreditamos que estamos progredindo, indo para algum lugar bom, só não sabemos onde é.

Dizem-nos para acreditar em algo, para ter fé na fé. Somos ensinados a dizer com uma expressão despreocupada: "Estou bem", "Sou feliz". Isso é o que chamamos de salto de fé. Quando não temos um ponto de referência e nossa vida é desprovida de sentido... então "seja feliz e aproveite a vida!". O que na superfície parece ótimo e aceitável no fundo se encontra vazio. Como um sábio filósofo *punk* disse certa vez, "We're pretty... pretty vacant" [Somos demais... vazios demais].

5
Perdidos

"Nunca antes as pessoas pensaram tanto sobre a vida e chegaram a tamanha indecisão, ou se sentiram tão distantes. Estamos desamparados e confusos — pela política, pelo trabalho, pelo sexo, e até mesmo por coisas como moralidade."[1]

Esta cultura global de consumo satisfaz meus desejos imediatos e mais superficiais. Dá um falso senso de identidade e entorpece a dor, mas não fala a meu coração. Não toca minha alma. Não responde às grandes questões da existência. Se eu quiser saber onde fica o restaurante mais próximo, é só usar meu *smartphone*. Se quiser saber quem era Friedrich Nietzsche, posso pesquisar no Google. Mas, se estou à procura do sentido da vida ou de esperança, meu *smartphone* não pode me ajudar.

E assim a cosmovisão oferecida hoje, o humanismo secular, que deveria responder a tais perguntas, diz que ninguém pode definir coisa alguma além do mundo material. Ninguém sabe realmente as respostas para as grandes perguntas, ou pelo menos não uma resposta definitiva. Dizem que devemos olhar para nós mesmos. Criar nossas próprias opiniões. Somos deixados sozinhos com nossos pensamentos, nossas dúvidas, nosso desespero. Ou podemos olhar para os milhões de opiniões de outros nas redes sociais, o que tende a nos confundir ainda mais. Disseram-nos que desfrutássemos da vida, mas as coisas não parecem funcionar assim.

O medo

Lá no fundo, sabemos que há algo errado. Agimos como se estivesse tudo bem, dizemos que estamos progredindo e que tudo de que precisamos é amor. Mas a cena artística e *pop* não consegue deixar de gritar. Tem algo errado aí, falta alguma coisa.

A inglesa Lily Allen canta sobre isso com clareza ímpar em sua música "The Fear" [O medo], ao dizer que não sabe como deveria se sentir. À medida que vai descrevendo em poesia o narcisismo superficial desta cultura global, Lily chega a uma conclusão surpreendente no refrão. Nessa mentalidade relativista, ela já não sabe o que é certo ou real, e no entanto persiste um medo pairando sobre ela. Medo de quê?

O fato é que, mesmo com essa cosmovisão humanista positiva, de "bem-estar", não conseguimos nos livrar do fardo que carregamos. Lá no fundo, sabemos que há algo errado. Carregamos o peso de coisas que preferiríamos não ter feito, da dor que nos causaram, e da dor que sabemos que causamos a outros. Contemplamos o mundo e sabemos, no íntimo, que não estamos progredindo coisa nenhuma. Vemos as guerras, a fome e a destruição causadas por nosso egoísmo, e não sabemos o que fazer a respeito. Talvez, se fingirmos que não está lá, a sensação vá embora.

No filme *Brilho eterno de uma mente sem lembranças*, de 2004, um médico desenvolve uma maneira de apagar uma parte selecionada da memória de um paciente. Ele ganha dinheiro apagando erros que os clientes gostariam de nunca ter cometido e relacionamentos românticos que gostariam de nunca ter tido. O problema é que os pacientes, não retendo na memória os erros que cometeram, simplesmente cometem os mesmos erros vez após vez, em um ciclo de autodestruição.

Não podemos esquecer nossos erros e fingir que nunca aconteceram. Seja em Hollywood ou no Spotify, soa o clamor lá no fundo da consciência dizendo que algo está errado.

A fome

Como diz a canção de Florence and the Machine, "todos temos fome", em referência àquele sentimento de vazio dentro de nós, àquela solidão, àquele peso com que nossa cabeça bate no travesseiro à noite, quando estamos sozinhos. Faz parte do ser humano, como se nascêssemos com algo faltando, algo além de nós e deste mundo.

Florence Welch, artista britânica de *indie rock*, falou a respeito disso em uma entrevista de TV para divulgar seu álbum de 2018 *High as Hope*. Ela descreveu sua consciência da carência de um amor que ela vinha tentando preencher. "Algo fora de mim precisa consertar isso... Tipo, eu posso namorar a solução ou posso beber a solução ou posso engolir a solução... Esse disco é um reconhecimento de que não, eu não posso!"[2]

Questionada sobre sua canção de sucesso "Hunger" [Fome], Florence explicou: "Eu estava pensando em algo ainda maior que o amor romântico... A música meio que veio da ideia: o que é que eu estava procurando que na verdade estava fora de mim mesma?".[3]

De fato, o quê? Penso que essa é a questão-chave que todos deveríamos fazer. A mentalidade predominante atual nos diz que não há nada além do que vemos à nossa volta. Fomos instruídos a acreditar que tudo de que precisamos pode ser encontrado dentro de nós mesmos. Mas, para ser honestos, sabemos que a Florence está certa. Precisamos de algo maior.

Um anúncio que vi há alguns anos me impressionou. Começa com uma câmera perto de um sujeito descrevendo dramaticamente algo que soa como a coisa mais incrível do mundo, talvez uma revolução, a cura para o câncer, ou até o próprio Deus. Mas, à medida que a narrativa apaixonada continua, começamos a ver imagens de um carro, até que finalmente ele anuncia: o todo-poderoso, maravilhoso e digno de louvor é o novo BMW i8.

Como diz um bom amigo meu, o professor Jonas Madureira: "Transformamos o absoluto em relativo e o relativo em absoluto". Aquilo que deveria constituir pequenos detalhes em nossa vida torna-se a peça central, e o que é de suma importância é deixado de lado. Quando fazemos de nós mesmos a referência, percebemos que não somos suficientes, então procuramos sentido em algum outro lugar. E, uma vez que agora acreditamos que o sentido da vida é algo impossível de definir, seguimos em uma busca interminável por algo que simplesmente não conseguiremos encontrar.

A sensação de que algo está faltando levou esta geração a ser espiritualmente aberta, procurando mas nunca encontrando respostas. A desconfiança das instituições significa que a religião tradicional é geralmente posta de lado, ao passo que outras formas de espiritualidade são muitas vezes vistas com curiosidade.

Certa vez, uma amiga da universidade tentou me explicar suas crenças. "Sou católica, mas também acredito na umbanda, e também há aspectos de bruxaria e budismo que aprecio. Tento meditar regularmente para buscar paz, mas não acho que se possa realmente definir Deus".

Depois das aulas, eu gostava de atravessar a rua do meu

campus universitário e ler a Bíblia no parque. Uma vez, uma garota apareceu e puxou conversa.

— Legal que você esteja lendo a Bíblia. Adoro ler coisas assim. Leio muita literatura espiritual e depois busco a verdade no meu interior.

Prestei atenção no que ela dizia e, em seguida, expliquei:

— Eu ficaria muito perdido e confuso se tudo o que pudesse fazer fosse olhar dentro de mim mesmo para encontrar a verdade. Eu mudo de ideia e fico confuso com meus pensamentos e sentimentos o tempo todo.

O fato é que a maioria desta geração global está interessada em espiritualidade, mas não na religião institucional formal. O deslocamento da cultura na direção do individualismo e da escolha pessoal mudou nossa forma de entender Deus e a religião. Definimos nosso próprio sistema de crenças e misturamos crenças e ideias a fim de que se encaixem em nossas preferências. A religião se encontra entre as muitas opções e categorias em nossos hábitos de consumo. E, no final das contas, resta o sentimento inquietante de que ninguém realmente sabe mais no que acreditar.

A insatisfação

Ainda temos esperança de que podemos mudar o mundo. O humanismo tem uma perspectiva positiva; ensina que estamos progredindo e que, se continuarmos lutando, alcançaremos um mundo melhor. Assim, as causas sociais e ambientais estão na moda; as pessoas estão indo às ruas para protestar. Queremos lutar, mas não sabemos pelo quê.

Em 2011, centenas de jovens saíram às ruas de todo o Reino Unido em violentos tumultos.

> Longe dos arranha-céus que se elevam acima da cidade de Londres, existe uma outra Inglaterra. É um lugar feio. Nessa Inglaterra, as esperanças de um milhão de jovens são despedaçadas todos os dias. Nessa Inglaterra, milhares de jovens famintos por trabalho procuram empregos que não existem. Nessa Inglaterra, legiões de garotos e garotas se encontram amontoadas em complexos habitacionais que se levantam das ruas desprovidos de poder e de esperança. São a Inglaterra que foi deixada para trás pela globalização. E são a Inglaterra que, em 2011, tomou as ruas e destruiu seus bairros.[4]

Esses jovens estavam zangados, mas ao invés de uma voz clara e coerente clamando por mudança, o que vimos foi violência e caos. Sociólogos e jornalistas não sabem exatamente por que isso aconteceu e, portanto, não sabem o que se pode fazer para evitar que aconteça novamente.

Em 2013, o Brasil viu a maior revolta popular de rua em vinte anos. Quase 2 milhões de pessoas participaram de manifestações em oitenta cidades em todo o país, com aprovação de 84% da população em geral.[5] De acordo com os relatos oficiais, a causa inicial foi um aumento no custo das passagens dos ônibus locais, mas logo houve uma enorme mistura de grupos políticos e causas estampadas em bandeiras à medida que milhões tomavam as ruas. Muitos se perguntavam na época: "Pelo que exatamente estamos protestando?". A impressão geral parecia ser a de que estavam todos zangados com alguma coisa e ansiosos por algum tipo de mudança, mas não conseguiam explicar o quê.

Provavelmente o maior movimento de protestos que vimos em nossa geração global foi a insurreição árabe, que levou a mudanças políticas drásticas no mundo árabe. No entanto, acabou em violência e tragédia assustadoras. A pior consequência da Primavera Árabe é a situação atual na Síria, devastada pela guerra. Foi, de fato, uma expressão da juventude global do mundo árabe.

Lembro-me de conversar com jovens da Síria em Beirute, quando a guerra estava apenas começando. Eles eram criativos, conectados e cheios de esperança. Tinham plena consciência dos debates globais e se envolviam neles, sonhando com mudanças. E foram as ferramentas da cultura global que eles usaram para disseminar sua mensagem.

O jornalista Paul Danahar descreveu a Arábia Saudita como a expressão do "ressentimento e frustração generalizados de grandes setores de sua população jovem que querem mudanças. Eles falam sobre isso incessantemente *on-line*, que é o único fórum público de que dispõem. Em 2013, a porcentagem de sua população que usava o Twitter ultrapassava a de qualquer outro país do mundo".[6]

No entanto, onde quer que ocorram tais protestos, uma coisa parece constante. Queremos mudança; só não sabemos qual mudança ou como fazê-la acontecer. Quando não sabemos o que é certo e verdadeiro, não podemos mudar o mundo.

As pessoas em minha universidade viviam falando sobre causas diversas e desejavam fazer parte de um movimento que promovesse mudança. Uma vez, houve uma manifestação chamada "Marcha pela Liberdade". Quando ouvi falar do protesto pela primeira vez, pensei: "Ótimo, eu acredito em liberdade. Vai ser legal participar disso". Mas quando chegou o dia do protesto, ficou claro que a maioria marchava pela legalização da maconha e do aborto. Percebi que a liberdade pela qual marchavam não era aquilo que eu chamo de liberdade. De fato, parecia trágico que liberdade, para aqueles jovens universitários, fosse a liberdade de fumar maconha e de abortar bebês indesejados.

Queremos mudança, mas não sabemos o que queremos.

O vazio

A combinação tóxica de uma cosmovisão humanista secular com uma cultura orientada pelo consumismo está nos tornando narcisistas rasos, fixados na própria imagem. Somos obcecados com *selfies* e dietas da moda, e entorpecemos a mente com entretenimento grosseiro e superficial no YouTube. As tendências do Twitter e do Facebook parecem se alimentar desse ídolo humanista: a opinião pessoal. Todo mundo tem uma opinião sobre tudo, e precisa ser ouvido.

Compartilhar opiniões pessoais veio a gerar até mesmo uma nova forma de celebridade, o *youtuber*. Algumas das pessoas mais influentes do planeta, tendo sua voz ouvida pelas maiores audiências, estão basicamente compartilhando suas opiniões sobre tópicos do dia a dia em vídeos caseiros. Em 2018, por exemplo, o *youtuber* PewDiePie tornou-se o primeiro a atingir 70 milhões de assinantes em seu canal. O sueco Felix Kjellberg começou em 2011 postando comentários de *video games* e, mais tarde, expandiu sua prática para programas de comédia e *vlogs*. É a natureza simples, cotidiana do conteúdo aquilo que parece atrair as massas. É a onda de *reality shows*, agora metamorfoseada em produções independentes feitas por qualquer um que disponha de um *smartphone* conectado à internet.

Se prestarmos atenção, ouviremos aquele clamor novamente. É o grito de uma geração perdida, que busca a verdade em si mesma... e só encontra o vazio. Não sei mais o que é verdade ou quem eu sou, mas talvez, se eu expressar minhas opiniões e me mostrar ao mundo, outras pessoas poderão me dizer quem eu sou e o que é a verdade. O problema é que, na maioria das vezes, não estamos de fato escutando. Assistir a um *youtuber* talvez não seja outra coisa que não um olhar desesperado no espelho, de identificação com aquele mesmo sentimento de angústia de quando nos perguntamos: "Qual é o sentido disso tudo, afinal, e quem se importa?".

A influência massiva dessa mentalidade e cultura atingiu proporções alarmantes, resvalando em todos os âmbitos da vida e influenciando até mesmo o topo do cenário político internacional. A superficialidade e amoralidade da cultura global são hoje características de alguns dos líderes políticos mais influentes no cenário global. Chegamos ao ponto em que publicações no Facebook descambam notícias embasadas em pesquisas, e no Twitter parece que a "sobrevivência do mais perverso" define a opinião pública e ganha eleições.

Infelizmente, a sensação de vazio não raro leva a questões mais graves. Relatos de crises de saúde mental entre os jovens tornaram-se lugar-comum, o que alguns denominam de "catástrofe silenciosa". Uma pesquisa de professores no Reino Unido rotulou esse cenário como "epidemia".[7]

Sem dúvida, estamos enfrentando uma crise de propósito, e o suicídio tornou-se um tema cada vez mais predominante na cultura *pop*. Quer se trate de séries da Netflix como *13 Reasons Why*, tendências de *memes* niilistas nas redes sociais, ou o número crescente de músicas de sucesso que abordam o assunto, não há dúvida de que esse é um problema em nossa mente.

Infelizmente, o suicídio não é apenas um tema da moda, mas uma realidade desoladora. A arte e a música tão somente expressam as realidades que vemos em uma geração perdida, diante da falta de sentido na vida. A Organização Mundial da Saúde relata que o suicídio é atualmente a segunda principal causa de morte entre jovens de 15 a 29 anos.[8] O problema é destacado com frequência na cena musical, à medida que parece crescer o número de ícones do *rock* e do *pop* que cometem suicídio. Em 2018, o jovem e promissor artista de *hip hop* Lil Peep perdeu a vida por uma *overdose*, e dois grandes nomes do *rock*, Chris Cornell e Chester Bennington, tiraram a própria vida.

Fica claro que as pessoas estão procurando respostas, e nós, seguidores de Jesus, precisamos saber como responder. Como trazer esperança em meio a um vazio tão grande? Escrever e cantar sobre isso é importante, mas muitas das respostas oferecidas na cena atual não me parecem adequadas

O *rapper* Logic conscientiza seu público sobre depressão e suicídio em sua canção "1-800-273-8255". Ele conta a história de um jovem que se revela *gay* e passa a contemplar a ideia de dar cabo da própria vida. Como o título sugere (número da linha de auxílio para a prevenção ao suicídio nos Estados Unidos), a resposta dada é procurar ajuda quando a pessoa está se sentindo deprimida. Trata-se, sem dúvida, de um bom conselho, mas ainda não confronta a verdadeira questão da desesperança. Não é surpresa que uma geração que cresce sem referências claras para questões sobre moralidade, sexualidade e propósito acabe por experimentar confusão e desespero. As pessoas precisam saber a verdade a respeito de sua alma, caso contrário, nenhum disque-ajuda servirá.

A dupla Twenty One Pilots aborda frequentemente questões profundas por meio de letras criativas e poéticas, e algumas de suas canções versam sobre suicídio. "Please Friend" [Por favor, amigo] parece descrever uma conversa entre amigos, na qual um procura convencer o outro a não tirar a própria vida.

A canção que se destacou para mim, no entanto, foi "Kitchen Sink" [Pia da cozinha]. Não trata especificamente do suicídio, mas reflete sobre a questão do propósito, ou a falta dele. Um amigo recentemente compartilhou um *post* sobre "Kitchen Sink" que dizia: "Me parece que essa música resume muito bem esse 'morde e assopra' relacionado à confiança, à busca de identidade, a uma rejeição exasperada daqueles ao redor minada pelas palavras 'Don't leave me alone' [Não me deixe só]".

Em uma entrevista no ano passado, Tyler, o vocalista do Twenty One Pilots, revelou alguns de seus pensamentos por trás dessas letras. Embora suas boas intenções fossem claras — alcançar pessoas que enfrentam depressão e pensamentos suicidas — seus conselhos circulando em torno de jargões de autoajuda me pareceram vazios. Tentar obter força e senso de propósito a partir de nossa criatividade e singularidade simplesmente não é suficiente. Todos sabemos disso. Se não tivermos nada além de nós mesmos em que confiar, a frustração será constante. É por isso que uma cultura obcecada em *selfies* e autopromoção não consegue encontrar sentido e propósito. Fomos feitos para mais que isso.

Precisamos tomar parte nessa conversa. O apóstolo Pedro escreveu: "E, se alguém lhes perguntar a respeito de sua esperança, estejam sempre preparados para explicá-la. Façam-no, porém, de modo amável e respeitoso" (1Pe 3.15). Minha oração é para que possamos apresentar uma mensagem de esperança que não se baseie em nossas habilidades e em nosso "eu interior", mas na esperança que temos em Jesus. Firmados nessa Rocha sólida, saberemos o que é certo e errado, o que promove vida e o que a destrói, o que é verdadeiro e falso, e, finalmente, para o que fomos feitos.

O grito da Cultura Jovem Global ressoa alto e bom som. Esta geração está perdida e sedenta de verdade. Quem irá até eles?

6
A fonte de esperança

Aprendi muita coisa em meus anos na universidade em Curitiba e na turnê com a No Longer Music. Mas foi a aguda consciência da necessidade espiritual desta geração globalizada que me marcou mais que qualquer um dos meus estudos ou viagens internacionais.

Nunca esquecerei um *show* que fizemos em Odemira, Portugal, onde um grupo de jovens havia iniciado sua própria associação cultural e organizado um festival para bandas locais. Estavam ligados principalmente à cena do *skate* e da música *hardcore*. Ao fim de nossa apresentação, eu disse à multidão de cerca de trezentas pessoas que Jesus estava presente ali e queria um relacionamento com eles. Convidei as pessoas a virem e se ajoelharem na frente do palco comigo se quisessem conhecer Jesus. Cerca de trinta pessoas vieram e se puseram de joelhos comigo, incluindo alguns dos jovens organizadores.

Um deles veio falar comigo depois e me disse que tinha ouvido essa mensagem antes. Explicou que havia em Odemira um missionário que começara um estudo bíblico com jovens da cena *skatista* local, mas que depois foi embora porque sua igreja não concordava com o que ele vinha fazendo. Acho que um estudo bíblico para adolescentes *skatistas* seculares não era aquilo em que a igreja queria que seus missionários se envolvessem, então o mandaram de volta para casa. Agora, ali estava aquele jovem me dizendo que queria saber mais sobre Jesus, mas não sabia para onde ir. Meu coração se partiu por ele e seus amigos.

Isso me fez pensar no deserto espiritual em que vivem muitos da minha geração. Onde quer que estejamos, sempre que falamos corajosamente da mensagem de Jesus de forma relevante e clara, encontramos uma profunda sede de verdade. Quando as pessoas têm a chance de conhecer Jesus e entender quem ele realmente é, são atraídas por ele. No entanto, poucos têm a oportunidade de ouvir sobre Jesus dessa maneira. Cerca de 54% da população mundial vive atualmente em centros urbanos. Quase 4 bilhões de pessoas. Os 2 bilhões de jovens nesse cenário urbano, membros da Cultura Jovem Global que descrevi, têm poucas chances de ouvir quem Jesus é de uma forma que faça sentido para eles.[1] Repito: 2 bilhões de pessoas.

A Europa, muitas vezes referida como o continente secular, encontra-se em extrema necessidade de igrejas e pessoas dispostas a se envolver com a cultura global e anunciar corajosamente o evangelho. Menos de 2% afirmam conhecer Jesus pessoalmente, e um vasto número de cidades não conta com uma igreja para ensinar os jovens a ter um relacionamento pessoal com Jesus.[2] E, nas cidades que dispõem de igrejas, estas não estão comunicando o evangelho de forma relevante.

Como esta geração global pode encontrar a verdade? Como os *skatistas* de Odemira terão a oportunidade de conhecer o Jesus que vive? E como podem jovens que não cresceram na igreja encontrar um lugar para conhecer a Palavra transformadora de Deus e crescer em sua fé? Descrevi uma geração não alcançada que se move a toda velocidade e é impulsionada pelo consumismo. Uma geração influenciada por uma visão global de mundo que nos ensina a nos concentrar inutilmente em nós mesmos e em nossas escolhas pessoais, mas que se encontra desesperadamente perdida, assustada, confusa e insatisfeita. Diante de tais desafios, como podemos apresentar Jesus e fazer discípulos na Cultura Jovem Global?

Eu estava convencido de que Deus havia me chamado para alcançar essa cultura, e ainda assim me sentia inadequado diante da enormidade do desafio. Eu sabia que boas estratégias ou ideias humanas não resolveriam o problema. Para alcançar a Cultura Jovem Global e desafiar uma mentalidade tão predominante e oposta em nossa sociedade hoje, precisamos encarecidamente do poder de Deus. Para compartilhar esperança com as pessoas, primeiro precisamos conhecer aquele que é a fonte da esperança. Eu já havia testemunhado o poder da oração nas ruas de Curitiba e na turnê com a NLM, e sabia mais do que nunca que precisava de Deus para fazer algo significativo em resposta a essa realidade.

Busque a Deus

Quando me entrego a esse Deus maravilhoso e todo-poderoso, não só encontro esperança como ganho também o incrível privilégio de ser chamado seu amigo e caminhar com ele dia após dia. Ele é a fonte de esperança, identidade, visão, inspiração e poder. Como é precioso estar diante do Deus onipotente, Criador do universo, que nos convida a fazer parte de seu plano e missão!

Tenho poucas lembranças de quando eu tinha 6 anos, mas uma ainda se destaca com clareza em minha mente. Eu estava sentado na cama com minha mãe, e ela lia a história de Jesus recebendo os pequeninos: "Deixem que as crianças venham a mim. Não as impeçam, pois o reino dos céus pertence aos que são como elas" (Mt 19.14). Minha mãe me perguntou se eu queria ser uma dessas crianças do reino de Deus. Percebi então que Deus me queria e estava me convidando para ir até ele. Respondi que sim. Antes de nos chamar a fazer algo por Deus, Jesus nos chama a estar com Deus e a ser de Deus.

Cada momento-chave em que me dei conta de quem eu era e qual era meu propósito neste mundo resultou de tempo dedicado a Deus. Quando eu tinha 12 anos e decidi que queria ser batizado, fui para o quintal e orei: "Deus, o que o Senhor quer fazer na minha vida? É só dizer, e eu vou fazer". No batismo, o pastor disse: "Não costumo receber esse tipo de palavra profética clara de Deus, mas acredito que o Senhor está chamando você para ser um homem da Palavra e que você compartilhará a Palavra dele em diferentes lugares ao redor do mundo de um jeito singular, que ele lhe mostrará no momento certo". Deus responde a orações e, quando passamos tempo em sua presença, ele nos mostra quem somos e o que o coração dele nos reserva.

Quando eu estava na universidade e trabalhava como professor de inglês, meu chefe tinha um chalé velho na serra perto de Curitiba. Esse chalé ficava a três horas de caminhada da cidade mais próxima e não dispunha de água corrente nem de eletricidade. Ele raramente o usava, na esperança de reformá-lo um dia, então perguntei se podia passar ali um fim de semana.

— O que você vai fazer lá? — perguntou, olhando para mim como se eu estivesse louco.

— Vou orar — expliquei.

— Tipo um monge ou algo assim? — indagou, ainda mais preocupado com minha sanidade.

— Bem, acho que sim, isso mesmo.

Na primeira noite lá, coloquei a cabeça no travesseiro

convencido de que podia ouvir algo como uma batida tribal a distância. Fiquei me perguntando se havia uma tribo indígena em algum lugar na região, mas então percebi que estava ouvindo o som das batidas do meu coração. Nunca estivera em silêncio e solitude tão absolutos. Foi a primeira vez que realmente notei o som da própria respiração e do próprio coração.

Não levei nada além de uma Bíblia e um pouco de água, e passei os dias andando pelo campo clamando por Deus. Um dia, decidi caminhar até o topo da colina mais alta para ver o pôr do sol. Quando o sol se pôs, me dei conta de que já estava escuro demais para voltar para o chalé. Deitei-me para tentar dormir lá em cima, numa quente noite de verão. Passado um tempo, comecei a ouvir os ruídos da natureza à minha volta e surtei. Percebi que havia algum tipo de toca perto de mim e estava certo de que podia ouvir algo se movendo por dentro. Dei um salto e comecei a andar cegamente através do mato alto e dos arbustos no intuito de encontrar uma trilha colina abaixo. Depois de uma longa caminhada frenética, consegui de algum modo encontrar o caminho de volta para a proteção do pequeno chalé. Já me perdi algumas vezes em oração, mas isso talvez só signifique que é preciso orar ainda mais.

Na parede do Centro Internacional de Treinamento Steiger, na Alemanha, está a frase "Deus recompensa aqueles que o buscam com um coração desesperado". Esse é nosso valor número um. Durante nossa escola missionária, toda sexta-feira é Dia de Buscar a Deus. Começamos o dia com uma oração silenciosa no salão principal, onde nos reunimos e oramos uns pelos outros, abençoando-nos mutuamente conforme saímos para mais um dia com Jesus. E é o que fazemos, aderindo a um voto de silêncio para o dia (nada de falar com os demais).

Alguns fazem longas caminhadas, alguns sentam-se em um parque, outros vão para o sossego do quarto, mas todos oram, leem a Bíblia e escutam a Deus.

Para a maioria das pessoas, a primeira vez que passam oito horas em oração é assustadora. "Sobre o que vou orar por oito horas?", pensam. Mas no final do curso de dez semanas, a maioria dos alunos dirá que foi a parte mais importante da escola. Quando paramos por tempo suficiente e levamos tudo à presença de Deus em oração, ouvindo sua voz e lendo sua Palavra, é incrível a clareza de direção e visão que podemos receber dele.

Busque a Deus com sua esposa (ou marido, se você é uma moça)

Logo após a universidade, frequentei a Escola de Missões Steiger, que na época ficava na Nova Zelândia. Nada mal! Que lugar incrível. Mas o que eu mais amava na escola era a ênfase no tempo com Deus. Sempre foi assim, e ainda é. Eu passava horas andando por aquelas belas praias perguntando a Deus o que havia em seu coração e o que ele queria que eu fizesse.

Uma vez, caminhando pela praia, encontrei um sujeito passeando com seu cachorro. Eu já tinha ficado impressionado com a simpatia dos kiwis (assim são conhecidos os neozelandeses), mas nada me preparou para aquilo.

— Olá! — eu disse enquanto passava.

— Ei, você está bem, amigo? — respondeu ele amigavelmente. — De onde você é, hein?

Para mim, essa sempre foi uma pergunta difícil de responder. Mas começamos a conversar. Do nada, ele perguntou:

— Você já esteve em outras partes da Nova Zelândia para conhecer os pontos turísticos?

— Ainda não — expliquei —, mas eu e alguns amigos estávamos pensando em viajar na próxima semana.

— Querem usar a minha *van*? — ele perguntou.

— Como é? — eu disse, convicto de que havia entendido errado. — Mas você acabou de me conhecer! — exclamei.

— Não, que isso. Vá em frente. Podem buscá-la amanhã — disse ele, como se estivesse me emprestando um cortador de grama.

— Bem, e quanto você quer por ela? — perguntei, esperando que houvesse alguma pegadinha naquela história.

— Um maço de cigarros — ele respondeu.

Na semana seguinte, andamos por toda a Ilha Norte com um grupo da escola, na *van* do sujeito que passeava com seu cachorro.

Aquela viagem acabou se revelando de suma importância. Foi quando ficou claro para mim que Ania era a garota com quem eu deveria me casar. Havíamos nos conhecido no ano anterior, quando eu estava em turnê com a NLM. Ela organizou um de nossos *shows* na Polônia, sua terra natal. Ela não me notou no início, mas eu certamente a notei. Eu tinha acabado de cruzar a fronteira da Alemanha para a Polônia em uma *van* com a banda. Estava sentado ao lado de David, que, você deve se lembrar, é o fundador da Steiger e da No Longer Music. Ele se vira para mim e diz: "Luke, na Polônia há muitas garotas bonitas e malucas. Você deveria escolher uma e casar com ela". E foi o que fiz.

Depois de namorar por um mês e meio, pedi em casamento essa mulher impetuosa e piedosa, que dividia comigo a mesma paixão de ver a missão de Deus cumprida. Nós nos sentamos no topo de uma montanha na Costa de Kapiti e nos comprometemos com Jesus. Não queríamos perder tempo.

Estávamos determinados a nos unir e começar a empolgante tarefa de compartilhar Jesus com esta geração.

Decidimos que a melhor época para nos casarmos era naquele verão, durante a turnê da NLM, quando todos os nossos amigos estariam por perto. Pedi ao David que fosse dar uma volta comigo.

— David, eu gostaria de me casar com Ania.

— É uma ótima ideia! — ele disse.

Continuei:

— Achamos que o melhor momento seria no meio da turnê da NLM.

Ele só olhou para mim. Esperei que me dissesse que não seria sensato. Em vez disso, respondeu:

— *Rock on!*

Nós nos casamos na Polônia, depois de fazer turnês na Alemanha com a No Longer Music. Nossas primeiras duas semanas de casamento foram gastas compartilhando Jesus na Turquia. E adoramos fazer isso. Eu tocava bateria e ela filmava tudo, gravando pequenos documentários sobre o que Deus estava fazendo durante a turnê.

Depois disso, mudamos para o Reino Unido. Por alguns anos eu quis ir a um lugar chamado All Nations em Hertfordshire, na Inglaterra. É um centro de treinamento missionário numa bela mansão no campo, onde a família Buxton organizava encontros de oração para missionários como Hudson Taylor, que tinha sido amigo da família.

Primeiro, fomos passar um tempo com minha igreja natal no sudoeste de Londres. Foi nessa época que gerenciamos aquela cafeteria para os jovens locais que mencionei no capítulo 1. Não tínhamos onde morar, então uma senhora idosa gentil da igreja nos deixou ficar em seu quarto de hóspedes.

Alguns casais esperam até ter tudo arrumado para se casar. Isso nunca fez sentido para mim, pois acredito que com isso se perde a aventura de descobrir a vida juntos! Além disso, é muitas vezes nos momentos-chave da vida — casar, começar a carreira, ter uma família — que corremos o risco de perder de vista o chamado de Deus para nossa vida. Deus sempre me sustentou, e eu sabia que agora ele sustentaria minha família também. Portanto, não íamos esperar e deixar a vida passar. Queríamos dar tudo o que tínhamos em favor daquilo que sabíamos ser o mais importante.

Precisávamos economizar algum dinheiro para podermos nos matricular no treinamento da All Nations, e se você quer dinheiro é preciso trabalhar. Ania conseguiu um emprego limpando casas e cuidando de pessoas com necessidades especiais, e eu consegui um emprego como assistente de pintor.

Uma das primeiras coisas que Ania me disse depois de nos casarmos foi que tínhamos de aprender a buscar a Deus juntos. Não entendi o que ela quis dizer. Quer dizer, eu sabia como orar, mas ela estava falando de encontrarmos uma maneira própria de nos conectarmos com Deus juntos. Isso soava algo místico para mim. Mas o que ela fez foi me desafiar a orar mais, e a fazermos isso como casal.

Em 1Samuel 25, há uma incrível história de coragem e convicção. Um homem rico descendente de Calebe chamado Nabal era casado com uma mulher bonita e inteligente chamada Abigail. Nabal era um homem grosseiro que rejeitou o pedido de Davi por comida e suprimentos, muito embora os homens de Davi tivessem sido gentis com os pastores de Nabal. Abigail intervém arriscando a própria vida e evita que Davi mate intempestivamente Nabal, o homem que o havia enganado. Davi fica impressionado e a abençoa por impedi-lo de cometer um erro e por direcioná-lo de volta para Deus. Acho que é exatamente isso que devemos procurar em uma esposa (ou um marido): um espírito como o de Abigail. Sou muito grato por uma esposa que me direciona para Deus quando começo a perder o foco.

Assim que tivemos condições suficientes para alugar nosso próprio apartamento, mudamos para um imóvel de um quarto nas redondezas de Sutton. O lugar pertencia a um dos presbíteros da igreja. A mãe dele havia morado lá anteriormente, de modo que a casa parecia saída direto dos anos 1970.

Não ligávamos para isso; estávamos felizes de ter nosso primeiro lugar próprio. A exemplo da maioria dos casais, começamos a pensar em como fazer o lugar ter um jeito de lar. Uma das primeiras coisas em que ambos pensamos foi uma sala de oração. Então cobrimos a sala de estar com lençóis brancos, umas almofadas, uma pequena mesa de café e velas por toda parte. Por alguma razão, pensamos que isso criaria uma boa atmosfera de oração. Não nos ocorreu fazer a boa e velha avaliação de "riscos à saúde e à segurança" como se deve fazer na Inglaterra, o que significa que não havíamos pensado a sério no potencial de incêndio. Mas, ao que parece, era mesmo tudo muito perigoso, como logo descobrimos quando o presbítero da igreja que era o proprietário do lugar veio nos visitar. Ele apontou os perigos de nossa sala de oração e nos disse que guardássemos os lençóis e velas.

Isso não nos impediu, contudo, de ter momentos incríveis de oração juntos. Comprei um violão para podermos cantar louvores e passar tempo buscando a Deus. Pedimos que ele nos mostrasse o que queria que fizéssemos. Foi assim que tivemos a ideia de uma cafeteria para os jovens. Qualquer ideia significativa que tínhamos vinha de nossos momentos de oração com

Deus. Percebíamos que tempo diante de Deus é precioso. Dá-nos uma perspectiva dele, lembra-nos do que realmente importa, coloca-nos em sintonia com seu Espírito e nos enche de fé e ousadia para fazer o que ele nos chama para fazer.

Busque em Deus visão e poder

Toda vez que vi Deus agir poderosamente, começou com uma visão nascida em oração. Quando demos início à cafeteria para jovens na região de Londres, começou com um pequeno grupo clamando a Deus pela juventude do bairro. A Steiger e a No Longer Music começaram com David e Jodi e sua equipe em Amsterdã passando noites na floresta clamando a Deus. Cada uma das iniciativas que compartilho nos próximos capítulos nasceu de tempo buscando a Deus, pedindo-lhe seu coração para os perdidos e sua visão para alcançar efetivamente esta geração.

Quando David Wilkerson decidiu parar de assistir TV à noite e passar tempo em oração, Deus deu-lhe uma visão para alcançar jovens marginalizados na cidade de Nova York. Durante um tempo de oração, esse pregador do interior foi atraído para um artigo de uma revista que descrevia um caso de assassinato contra um grupo de adolescentes delinquentes. Wilkerson foi profundamente movido por Deus, e sua vida, drasticamente alterada. Naquela mesma semana, dirigiu para Nova York e iniciou um ministério para alcançar gangues e párias sociais que se tornaria a Teen Challenge, uma missão inspiradora de auxílio a marginalizados e viciados em todo o mundo. Pode-se remontar ao hábito de oração a vida de qualquer homem ou mulher seriamente impactante de Deus. Martinho Lutero teria dito uma vez: "Tenho tanto a fazer que passarei as primeiras três horas em oração".

Durante o tempo naquele pequeno apartamento em Sutton, eu estava lendo *O homem do céu*, uma história do Irmão Yun. Vivendo no interior da China, Yun não tinha acesso à Bíblia, mas sua mãe tinha encontrado Jesus, e seu pai havia sido milagrosamente curado do câncer depois que a família orou a Jesus por cura. Isso fez que o Irmão Yun quisesse aprender mais. Yun tinha apenas 16 anos quando saiu à procura de uma Bíblia e alguém lhe disse que visitasse um pastor em outra aldeia. Mas o pastor falou que tinha apenas uma Bíblia e que não a daria. "Se você quer uma Bíblia, precisa orar e jejuar por ela", disse ao rapaz.

Então o Irmão Yun decidiu que não comeria nada além de uma tigela de arroz por dia até conseguir uma Bíblia. E assim foi por cem dias! Nessa época, ele teve uma visão em que alguém lhe dava um pacote, um pedaço de pão. Quando despertou, ouviu uma batida na porta. Correu para abri-la e, sem dúvida alguma, havia alguém parado lá com um pacote. "Temos um banquete de pão para lhe dar", o estranho disse. Quando ele abriu, era uma Bíblia.

O Irmão Yun se entusiasmou tanto por ter uma Bíblia que começou a lê-la imediatamente. Depois de ler tudo, começou a decorar o Evangelho de Mateus. Logo, aquele jovem de 16 anos andava por todas as aldeias locais, pregando sobre Jesus e recitando o livro de Mateus às pessoas.

À medida que eu lia a história de Yun, minha fome por Deus e por sua Palavra crescia, e comecei a orar e jejuar mais. Eu queria experimentar Deus desse modo também em minha vida.

Outra história que muito me impactou foi a de Hudson Taylor. Ele ainda era um adolescente quando pediu a Deus que o enviasse como missionário à China. Estava tão cheio de paixão e visão de Deus, que escreveu à sua mãe:

> Não posso descrever quanto desejo ser missionário, levar as boas-novas aos pobres e sofridos pecadores, exaurir-me e ser exaurido por Aquele que morreu por mim! [...] Pense, mãe, doze milhões — um número tão elevado que é impossível de vislumbrar — sim, doze milhões de almas na China falecendo, todos os anos, sem Deus e sem esperança para a eternidade.[3]

Ao ler sobre a paixão e dedicação que Hudson Taylor tinha pela China, pedi a Deus que me desse o mesmo coração para a Cultura Jovem Global. E é assim que vejo a questão. Há muitos grupos de pessoas não alcançados no mundo. Ao longo da história das missões, ondas de missionários chegaram a diferentes nações e diferentes grupos de pessoas. Mas há uma cultura não alcançada agora que vem se tornando rapidamente (se já não for) a maior do mundo. Minha esperança com este livro é conscientizar as pessoas da enorme necessidade espiritual desta geração e do apelo de Deus para um novo movimento missionário que levante a cruz nesta sociedade secular.

Depois de guardar dinheiro suficiente, minha esposa e eu passamos um ano no All Nations recebendo um importante treinamento para a vida missionária. Durante esse tempo, pedimos a direção de Deus para onde deveríamos ir na sequência. E, como em outras vezes, a visão veio. No final de 2009, mudamos para São Paulo, a fim de ajudar a desenvolver a Steiger e alcançar a cultura jovem numa das maiores cidades do mundo.

7
Conheça a cena

É difícil saber por onde começar, tendo acabado de mudar para um abarrotado bairro central de uma selva urbana com 20 milhões de habitantes. A primeira coisa em nossa lista foi descobrir onde se dava a cena jovem de São Paulo. Fomos para a região da Rua Augusta, perto da Avenida Paulista. Visitamos os clubes e os bares, conhecemos novas pessoas, e até filmamos algumas entrevistas. (Descobrimos que, muitas vezes, as pessoas se abrem ainda mais se houver uma câmera.) Foi um grande momento de construir novas amizades e conhecer a cena. Isso, combinado com tempo diário dedicado à oração, deu origem a uma série de novas ideias e visões para projetos que viríamos a desenvolver nos cinco anos seguintes.

Juntamos forças com o Sandro Baggio, que mencionei antes. Ele era o fundador da Steiger no Brasil e também pastor e fundador do Projeto 242, uma igreja muito criativa e dinâmica no centro de São Paulo. A igreja nos deu nossa primeira casa, um pequeno apartamento no último andar de seu prédio.

Um dos nossos primeiros projetos foi uma banda chamada Alegórica, fruto daquilo que havíamos aprendido passando anos em turnê pelo mundo com a No Longer Music. Nós nos reunimos para orar com um grupo de atores e músicos do Projeto 242 e começamos a trabalhar no conceito para um *show* que retrataria a morte e ressurreição de Jesus numa linguagem que os jovens no Brasil pudessem entender.

Logo estávamos fazendo apresentações em qualquer bar ou clube que nos aceitasse. Um dos primeiros lugares em que tocamos foi o Luar Rock Bar, na periferia da zona norte de São Paulo. O recinto parecia um antigo esconderijo antibombas. Estava coberto de grafite do chão ao teto, e o banheiro era um buraco no quintal. Consistia em dois espaços. Dentro ficava o palco, uma pequena plataforma uns quinze centímetros acima do resto do recinto. O teto era tão baixo que as pessoas viviam batendo a cabeça durante os *mosh pits*. Lá fora havia um quintal escuro, também coberto de grafite, que a maioria das pessoas parecia usar para fumar maconha e se "pegar". Ser bissexual era a tendência mais recente, então havia todo tipo de coisa acontecendo naquele quintal. Um dos grupos que tocavam regularmente ali era uma banda feminina de *punk rock* de protesto conhecida por tocar de *topless*.

No início, tentamos manter nosso *set list* curto e simples, mas desde o começo queríamos mostrar a cruz e pregar claramente sobre Jesus aonde quer que fôssemos. Assim, perto do final de nossa apresentação, nossa atriz subia ao palco desempenhando um monólogo apaixonado sobre falsa liberdade e um sistema que nos oprime, que de alguma forma rapidamente fluía para minha personagem representando Jesus e morrendo na cruz para que ela pudesse ser livre novamente. Para encerrar, eu trazia uma pequena mensagem e convidava as pessoas para a frente do prédio a fim de conversar caso tivessem interesse em conhecer mais do assunto. Começamos a fazer essas apresentações em casas de *show* por toda a cidade. As pessoas respondiam todas as vezes, desejosas de receber oração e conversar.

A igreja do Sandro, o Projeto 242, era um lugar fácil para convidar pessoas, uma vez que ficavam interessadas em aprender mais. Certa vez, anunciamos no Facebook um evento no qual eu iria falar sobre como Che Guevara, o revolucionário sul-americano, não era nada comparado com a verdadeira revolução que Jesus podia realizar. No dia, notei que, lá atrás, havia um grupo de pessoas que eu não reconhecia, então fui lá e me apresentei. Conversamos um pouco. Eles eram de uma banda *hardcore* de Guarulhos. Moah, o vocalista da banda, achou o tema interessante. Ele me disse que gostou da minha mensagem. "Queremos compartilhar essa mensagem em nossa banda." Surpreso, perguntei de que igreja eles eram, e responderam que não iam a igreja nenhuma. Moah explicou que achava que a mensagem sobre Jesus era poderosa, mas que não sabia muito acerca do assunto. Ele então me perguntou algo que todo missionário quer ouvir: "Você poderia me ensinar mais sobre Jesus?". Agarrei essa oportunidade e sugeri que começássemos um estudo bíblico juntos. Eles me convidaram para seu local de ensaio.

Na semana seguinte eu estava num ônibus para Guarulhos, rumo ao ensaio da banda. Eles se reuniam em um quarto pequeno e fedorento, sem janelas, que sempre parecia estar lotado de amigos seus assistindo ao ensaio. Depois do ensaio, Moah me deu o microfone e disse: "Prega!". Eu não esperava por isso, e não tinha nada preparado. Simplesmente comecei a falar sobre o que significava seguir Jesus. Quando terminei, ele me disse que foi bom e perguntou se eu poderia vir novamente na semana seguinte.

Logo mudamos nosso estudo bíblico para um bar local a fim de ter mais espaço. A cada semana éramos entre dez a quinze pessoas sentadas ao redor das mesas de bar lendo e discutindo o evangelho. Foi incrível ler a vida de Jesus com aquele pessoal, alguns dos quais nunca tinham lido a Bíblia ou ouvido suas histórias. Pouco depois, muitos deles foram batizados e, anos mais tarde, acabaram até indo a nosso centro de treinamento missionário na Alemanha.

Já desde o começo, eles compartilhavam sua fé em seus *shows* aos fins de semana e convidavam amigos para nosso estudo bíblico no bar, que consequentemente estava sempre cheio. A razão de tudo isso foi que esses caras eram "caras da cena". Conheciam todo mundo. Quando decidiram seguir Jesus, não deixaram os amigos para trás. Não pararam de fazer parte da cena. Tornaram-se sal e luz no lugar mesmo onde Jesus os colocou. Usaram a influência que tinham no palco para falar a verdade, e mostraram o que significava seguir Jesus em seus relacionamentos. Eram missionários desde o primeiro dia.

Saia dos muros da igreja

Precisamos compreender que existe uma lacuna cultural entre a igreja e a Cultura Jovem Global. No que parece ser uma contradição, a igreja não tem contato com a cultura global e, ao mesmo tempo, é influenciadíssima por ela, assumindo muitas vezes valores e perspectivas contrários à fé cristã. Isso é o oposto de como Jesus viveu. Jesus estava agudamente sintonizado com a cultura ao seu redor, relacionando-se com muitos que diferiam diametralmente dele em mentalidade e crença, e ainda assim não se curvou à influência cultural e religiosa predominante da época. Pelo contrário: desafiou a cultura e a mentalidade judaicas. Partindo do denominador comum das escrituras judaicas, conclamou até mesmo os líderes religiosos mais respeitados a que nascessem de novo. Quando Pedro e, mais tarde, Paulo foram até os gentios, tiveram de deixar de lado seus aparatos culturais e aderir a novos paradigmas, a fim de tornar o evangelho real para seus ouvintes e ter verdadeiro poder transformador nesse novo contexto. Quando Hudson Taylor foi para a China, viveu e se vestiu como os chineses do campo para evitar a distração de suas roupas e cultura ocidentais, o que lhe permitia pregar as boas-novas a um público mais atento. Construir pontes sobre as lacunas culturais sempre foi uma atitude central no movimento das missões bíblicas e históricas.

No passado, missão significava ir a uma terra distante para aprender uma nova língua, comer alimentos estranhos e adaptar-se a culturas estrangeiras, mas o maior campo de missão hoje são as cidades em que vivemos. Precisamos praticar a mesma flexibilidade e adaptabilidade cultural a fim de compartilhar Jesus em nosso próprio bairro, num momento em que nossa fé foi empurrada para as margens e agora é vista como estranha à cultura que nos cerca. Precisamos envidar os mesmos esforços para conhecer a cultura em que vivemos, a fim de sermos influenciadores e não influenciados negativamente.

O primeiro passo é reconhecer que deveríamos falar da Cultura Jovem Global em primeira pessoa. Isso afeta a todos nós. Não é uma questão de "nós contra eles", a igreja contra o mundo. O globalismo, o consumismo, o humanismo secular e todas as suas consequências infiltraram-se em todos os âmbitos da igreja.

A influência do relativismo causou um dualismo generalizado na igreja ocidental, com muitos membros levando uma vida dupla, uma no domingo e outra no resto da semana. Diante do ceticismo e de um ambiente de "pós-verdade", muitos sofrem para manter a fé, perguntando-se se realmente precisam levar isso tão a sério quanto seu pastor lhes diz. Francis

Schaeffer apontou que o relativismo afetou até mesmo nossa teologia, desencadeando subprodutos da teologia liberal que se encaixam muito melhor na cosmovisão humanista secular do que na bíblica.

Provavelmente foi o consumismo que impactou mais negativamente a cultura da igreja. Focada no entretenimento mais que em qualquer outra coisa, o *showbiz* dos cultos procura competir com a indústria do entretenimento pela atenção das pessoas. Isso criou uma fé superficial e autocentrada, que nos faz procurar constantemente a próxima experiência espiritual na próxima conferência e pular de igreja em igreja até encontrar aquela que seja ideal para atender às nossas necessidades.

Assim como o consumismo leva a relações fragmentadas e a uma perda de identidade na Cultura Jovem Global, também a igreja tem muitas vezes perdido seu senso de comunidade e se encontra numa crise de identidade. Esta geração acelerada e sem compromisso formou igrejas que se assemelham mais a clubes sociais com visitantes descompromissados do que a uma família de membros verdadeiramente comprometidos uns com os outros, conforme descrito em Atos.

Grande parte da igreja perdeu sua identidade e, assim, se esforça para saber como se posicionar numa sociedade em constante movimento e mudança. Não temos voz porque não sabemos o que dizer. Não fazemos parte do debate porque esquecemos qual é a nossa mensagem.

Sob a influência da cultura global, nós conseguimos, ao mesmo tempo, alienar-nos e tornar-nos irrelevantes para uma geração que cresce sem igreja. Com medo de nos perdermos nesse estado de inquietação e crise de identidade, escolhemos esconder-nos num gueto da igreja. Os jovens mais necessitados do evangelho são vistos como influenciadores perigosos que podem infectar os demais membros. Atolados numa cultura eclesiástica desnecessária, lutamos para nos conectar com o mundo à nossa volta, visto que nossas tentativas mais sinceras de evangelização não são capazes de romper os muros da igreja e ter qualquer alcance real na cena global.

Como reverter essa situação? Como cumprir o chamado de Jesus para ir a toda a terra, à Cultura Jovem Global, e fazer discípulos?

É somente passando tempo novamente aos pés de Jesus que nos lembraremos de quem somos e reencontraremos nossa identidade e propósito. E quando nos lembramos de nosso chamado podemos orar, como fez a igreja em Atos, para que Deus nos dê ousadia a fim de que saíamos dos muros da igreja e sejamos sal e luz.

Foi isso que Jesus nos ensinou. Nunca foi sua intenção que nos escondêssemos em edifícios eclesiásticos, alienando-nos em busca da santidade. Ele clamou ao Pai: "Não peço que os tires do mundo, mas que os protejas do maligno. [...] Assim como tu me enviaste ao mundo, eu os envio ao mundo" (Jo 17.15,18).

O ensinamento de Jesus sobre sal e luz nos oferece o equilíbrio perfeito para estar no mundo sem ser dele. Ele nos chama de "o sal da terra" (Mt 5.13). O sal era usado para preservar os alimentos e dar-lhe sabor. Preserva a qualidade da comida e a torna melhor. Ser sal significa ser distinto. Em seguida, ele diz: "Vocês são a luz do mundo" (Mt 5.14). Menciona uma cidade no alto de uma colina que todos podem ver e uma lâmpada colocada no alto de um pedestal para iluminar a sala. A luz deve brilhar, deve ser vista por todos. Ser luz significa ser influente.

Jesus nos chama a ser distintos e influentes. O problema é que às vezes nós, a igreja, somos muito salgados. Somos tão salgados que ninguém consegue ingerir nossa comida. Somos tão diferentes que ninguém consegue nos entender; parecemos alienígenas para o mundo à nossa volta. Com medo do mundo, nos fechamos num gueto e perdemos nossa relevância; não exercemos influência. Em outros casos, caímos no extremo oposto. Tornamo-nos a igreja *pop*, a igreja moderna, com uma voz influente. Nossa luz brilha, mas perdemos nossa capacidade de salgar. Ficamos iguais ao mundo, perdemos nossos valores e identidade, perdemos nossa distinção, nosso foco nas boas-novas de Jesus. Esse cristianismo comercial é repleto de soluções rápidas e respostas fáceis, mas não tem poder. Alguns o rejeitam como mais um produto qualquer em oferta, enquanto outros o consomem mas não experimentam nenhuma mudança autêntica. Precisamos parar de oferecer um cristianismo barato a uma geração cansada do consumismo. Precisamos deixar o gueto e pregar novamente a mensagem genuína e radical de Jesus.

Jesus nos chamou para ser sal e luz, para ser diferentes e influentes, para ser relevantes, engajados e empenhados na cultura global, mas sem perder nossa identidade nele. Ele nos chamou para ser a voz da verdade, levantando a cruz e proclamando um Salvador que vive. É aí que reside o poder. É isso que as pessoas procuram.

Jesus conhecia a cena

Às vezes tentamos criar estratégias descoladas para alcançar as pessoas, mas não reservamos tempo para conhecer essas pessoas. Jesus conhecia a cena. Passava todo o seu tempo encontrando pessoas, comendo com elas, ouvindo-as, cuidando delas e curando suas enfermidades. Como resultado, ganhava seu respeito e estima, e conseguia se comunicar de uma maneira que elas pudessem entender.

Jesus viveu durante um tempo e um lugar desafiadores na história. A região pela qual transitava, ensinava e ministrava era politicamente pesada e culturalmente diversificada, marcada pela desigualdade social. O povo judeu enfrentava a opressão sob a superpotência romana. Alguns reagiam, outros se isolavam ainda mais em seu nacionalismo religioso, e outros ainda tão somente lutavam para sobreviver debaixo do pesado sistema de tributação. Em geral, as pessoas ansiavam por mudanças; estavam procurando alguém para seguir, e havia muitas opções: partidos políticos, grupos religiosos, movimentos rebeldes, cada um com sua própria mensagem. Talvez, em certos aspectos, não fosse assim tão diferente da nossa realidade hoje.

Foi nesse contexto que Jesus veio, declarando que o reino de Deus estava próximo. Ele não tinha o suporte de um partido poderoso, de grandes investidores financeiros, ou de uma plataforma garantida de onde pudesse falar. Começou nos bairros mais simples e mais pobres, conhecendo pessoas e cuidando delas, e pregando uma mensagem clara e ousada, muitas vezes usando uma forma artística criativa e poderosa: as parábolas. Quero enfatizar estas três maneiras pelas quais Jesus se envolveu na cena a fim de ministrar às pessoas: 1) ele passou tempo com as pessoas investindo em relacionamentos; 2) ele respondeu a perguntas imediatas e concretas; e (3) ele se comunicava de forma criativa recorrendo a histórias e parábolas, de um jeito que elas pudessem entender.

A primeira dessas atividades parece ser a que Jesus passou mais tempo fazendo. Ao longo das narrativas dos Evangelhos, Jesus caminha pelas ruas e encontra pessoas. Às vezes ele se convida para a casa delas, às vezes se envolve em profundas conversas individuais, e às vezes se dirige a um grupo ou a uma multidão. Em todas essas situações, ele se entrega completamente às pessoas, envolvendo-as com toda a sua atenção e energia até ficar exausto. Ele se conectava com pessoas dos mais diferentes contextos. Mesmo em seu círculo mais próximo de seguidores, havia pessoas de origens muito diversas: pescadores, um cobrador de impostos, um ativista político. Dava alta prioridade aos pobres, mas também passou tempo com os ricos, amando-os da mesma forma. Passou tempo com a classe política e com líderes religiosos. Mesmo os fariseus, que muitas vezes vemos como os vilões da história, gastavam um tempão em torno de Jesus envolvendo-o em debates intensos. Sua principal preocupação era com o coração das pessoas. Ele olhava as pessoas nos olhos e lhes fazia perguntas penetrantes, falando diretamente com seus medos e desejos mais íntimos.

Jesus se envolvia o tempo todo na vida das pessoas. Respondia a suas perguntas e a suas necessidades. O ministério dele se caracterizou por milagres de cura, libertação de espíritos malignos e provisão de necessidades materiais. Por um lado, Jesus realizava milagres como sinal de que havia sido enviado por Deus. Mas, por outro lado, estava simplesmente respondendo compassivamente às necessidades das pessoas. Jesus era movido pela compaixão (Mt 9.36).

Jesus também confrontou estruturas religiosas e sócio-políticas opressivas e convocou uma nova comunidade para demonstrar valores alternativos, e fez tudo isso sem violência e com abnegação. Opôs-se ao elitismo religioso (Mt 23.25), respondeu a perguntas políticas como pagar ou não pagar impostos (Mc 12.17), perdoou pecadores e confraternizou com eles, e até fez um protesto quando purificou o templo (Lc 19).

Em suma, Jesus comunicou-se de forma criativa, de uma maneira que as pessoas pudessem entender. Esse ponto é particularmente relevante quando refletimos sobre nosso contexto de cultura jovem. As parábolas de Jesus estavam em sintonia com a cultura narrativa da época e comunicavam a verdade de maneira relevante. Mais que uma estratégia, eram resultado natural de passar tempo com as pessoas e conhecer sua cultura.

Ao responder ao chamado de Deus para ir ao mundo e ser sal e luz, podemos olhar para o exemplo de Jesus como nosso melhor modelo missionário. Ele conhecia a cena. Passava tempo com as pessoas, construía relacionamentos verdadeiros, respondia a necessidades e perguntas, e comunicava-se de forma criativa e relevante.

Muitas vezes, usamos arte e música para compartilhar as boas-novas com a Cultura Jovem Global. E são mesmo ferramentas poderosas, não só para comunicar, mas também como porta de entrada para a cena cultural e a vida das pessoas. É por isso que muitos dos exemplos que apresentarei a seguir giram em torno de eventos artísticos e culturais. Mas também é importante enfatizar que não é preciso ser artista para alcançar a juventude global. Conhecer a cena, construir relacionamentos e compartilhar a verdade com as pessoas são atividades que podem ser realizadas de muitas maneiras. São o coração voltado para as pessoas e a vontade de ir até elas que nos tornarão eficazes na transformação do mundo de hoje.

A arte que Jesus dominava

Jesus cresceu numa cultura que contava histórias. Os gregos contavam fábulas, e os rabinos judeus falavam em *mashal*, uma forma muito comum de arte oral e literária usada para ensinar a Torá. Contar histórias era possivelmente a forma de arte mais conhecida e apreciada da época, e ainda está muito presente na cultura e tradição do Oriente Médio hoje.

Foi precisamente esse o meio de expressão artística que Jesus escolheu usar. A palavra "parábola" é a tradução grega do hebraico *mashal*, e parábolas eram verdadeiras obras de arte. Elas capturavam a imaginação dos ouvintes com seus personagens intrigantes, suas reviravoltas e lições que geravam profunda reflexão.

Embora as parábolas não fossem invenções de Jesus, ele era um mestre delas — sem dúvida, o melhor que já existiu! Não só escolheu essa forma de arte popular para transmitir sua mensagem, como também se envolveu na cena, repetindo parábolas já bem conhecidas entre seu público judeu e interagindo com elas. Jesus conhecia o *mashal* e respeitava suas regras e fórmulas habituais. A tradição rabínica tendia a iniciar uma parábola com uma pergunta introdutória e a resposta: "Com o que se parece determinado assunto? É como...", um padrão que Jesus seguia com frequência. De igual modo, uma parábola concluiria com a expressão "Assim também" ou "Da mesma forma", e Jesus também adotou esses termos.

Algumas das parábolas de Jesus são praticamente "regravações" de histórias que outros rabinos já tinham contado. Mas mesmo naquelas que ele repetiu com base na tradição oral existente, muitas vezes ele lançava uma reviravolta ou um desafio que trazia a corajosa mensagem do reino vindouro e que revelava sua verdadeira natureza. Veja esta parábola rabínica:

> Com que se parece a pessoa em quem há boas obras e que estudou longamente a Torá? Ela é como um homem que constrói primeiro com pedras e depois com tijolos de barro. Ainda que

juntasse muita água ao lado das pedras, ela não as destruiria. Mas com que se parece a pessoa em quem não há boas obras, embora ela tenha estudado Torá? Ela é como um homem que constrói primeiro com tijolos de barro e depois com pedras. Ainda que juntasse apenas um pouco de água ao lado das pedras, isso imediatamente as prejudicaria.[1]

Soa familiar? Jesus fazia *covers*! A parábola acima é muito semelhante a uma das mais famosas parábolas de Jesus, a respeito daquele que constrói a casa sobre a areia em comparação com aquele que constrói sobre a rocha. Há uma pequena diferença, mas monumental. Todos os outros rabinos falavam de conhecer e cumprir as palavras da Torá, mas Jesus introduz seu relato com as palavras: "Quem ouve minhas palavras e as pratica" (Mt 7.24). Rabino nenhum, sendo um mero homem, se referiria a suas próprias palavras dessa forma diante de um público judeu. Só o próprio Deus falava assim. Isso equivaleria a Jesus regravar uma canção bem conhecida e adicionar uma reviravolta no final para fazer seu público parar e pensar. Mediante essa forma artística de contar histórias, Jesus revelou-se como o Messias prometido, como o próprio Deus.

As parábolas rabínicas tendiam a reforçar a sabedoria convencional ou as normas sociais. Jesus, contudo, desafiava o tempo todo o *status quo*. Ao contar a história do bom samaritano, seus ouvintes certamente teriam se identificado com a estrada Jerusalém-Jericó e seus perigos, e a maioria teria também sorrido com a representação cínica da elite religiosa. O samaritano surgindo como o herói da história, no entanto, teria sido um desafio poderoso e provocativo para todos.

Nessa cultura de narração de histórias, as parábolas de Jesus eram de extrema relevância. Os pobres, os agricultores, os pescadores e muitos outros na sociedade, todos poderiam se identificar com suas histórias. A classe religiosa conhecia bem o *mashal*. Ele também se dirigiu à cena política e aos poderosos da época usando ilustrações provocativas. Jesus se conectou intimamente à cena em vários níveis, mediante uma forma de arte conhecida e praticada em sua época. Há muito que podemos aprender com ele e aplicar à nossa própria arte hoje.

Se você é um artista, se tem uma banda, ou se quer se conectar à cena cultural, então faça de Jesus seu exemplo: ele usou uma forma de arte relevante para se conectar com as pessoas, mas não se submeteu à forma de pensar dessas pessoas. Em vez disso, contou suas próprias histórias, intencionalmente provocativas, a fim de fazê-las pensar.

Jesus propositadamente usou sua arte para comunicar a verdade. Em nenhum momento ele se conformou com simplesmente repetir ou imitar o que outros rabinos estavam dizendo ou fazendo.

Ele adaptou sua forma de arte para cada audiência, fazendo conexões pessoais e interagindo com as reações do público.

Jesus se dispunha a discutir suas parábolas e a explicá-las quando necessário.

Sua arte era uma parte de seu ministério, mas não sua soma total; seu propósito era muito maior. Jesus se preocupava com as pessoas: curando-as, passando tempo com elas e pregando-lhes a verdade. Seu meio de expressão artística entrou em cena em momentos diferentes, mas era apenas uma ferramenta entre muitas. Sua arte tinha uma mensagem e um propósito claros, como um acréscimo ao quadro mais amplo de sua vida e ministério.

Alguns desses pontos são especialmente tocantes para nós hoje, numa cultura relativista que se propôs desconstruir a própria arte, pedindo "arte pela arte" e fingindo não ter mensagem nenhuma ou recusando-se a explicá-la. A arte sempre tem uma mensagem. Não ter nenhuma mensagem é uma mensagem. Não seja tão arrogante a ponto de se fechar a seu público, recusando-se a compartilhar e explicar suas intenções. Humildade e vulnerabilidade contribuirão grandemente para uma conexão verdadeira com o público e para fazer real diferença na cena.

Minha oração é que sigamos os passos de Jesus em nossa arte.

Tornando-se tudo para a cena

Sair dos muros da igreja, conhecer a cena, e procurar ser sal e luz sendo influente e distinto muitas vezes apresenta dilemas. Quando pensamos em alcançar a cultura, precisamos nos fazer algumas perguntas: Como devemos viver neste mundo hoje? O que significa ser um seguidor de Jesus na cena da qual já faço parte? O que podemos ou não fazer? O que é pecaminoso e o que é apenas cultural? Como já discutido, parece que a igreja não raro cai em um de dois extremos: ou ficamos isolados e alienados da cultura ao redor em nossa busca de santidade ou nos vendemos para a cultura e esquecemos nossos valores e identidade como seguidores de Jesus. Sendo assim, como fazer isso direito?

Em 1Coríntios 9.22, Paulo fala sobre "tornar-se tudo para com todos" (NVI), e muitas vezes ouço essa passagem ser usada para discutir a necessidade que a igreja tem de se adaptar à cultura. Com frequência, apresenta-se uma interpretação superficial das palavras do apóstolo. Imaginamos Paulo se fantasiando de grego, fingindo ser quem não era para induzir enganosamente as pessoas a ouvi-lo. Então, imitamos algo que observamos na arte e na cultura à nossa volta, na esperança de que ganhemos o favor das pessoas que estamos tentando alcançar. Eu poderia achar, assim, que se eu tocar música *hardcore*, todos os garotos *hardcore* vão se converter. Se eu me vestir de preto, os góticos me ouvirão. Eu gosto de Slipknot, então vou fazer uma versão cristã deles.

Outro erro que cometemos aqui é pensar que Paulo está dizendo que fará qualquer coisa para alcançar as pessoas no sentido de que vale tudo. Poderíamos pensar que não há problema em pôr de lado certos valores ou padrões em prol da identificação com as pessoas. Então pensamos que temos de falar palavrões em nossas letras ou beber cerveja e fumar um cachimbo para que as pessoas pensem que somos descolados. Com isso se perde de vista o que Paulo está dizendo.

Na verdade, é o oposto. Em 1Coríntios 8, o apóstolo fala sobre como ingerir carne oferecida aos ídolos causava confusão entre os novos crentes vindos da cena cultural grega. Ele diz que se é uma barreira para que os gregos conheçam Jesus, ele nunca mais comerá carne. Na sequência, diz que está disposto a permanecer solteiro e não receber salário algum por seu trabalho missionário se isso o ajudar a alcançar mais pessoas. E conclui dizendo que se tornou tudo para com todos, para que, por todos os meios possíveis, pudesse salvar alguns (1Co 9.22).

Paulo se dispunha a deixar de lado todos os seus direitos a fim de se conectar com a cena e compartilhar Jesus com as pessoas. Sua vida era dividida em sacrifício com as pessoas, identificando-se verdadeiramente com elas e mostrando-lhes o que significa seguir Jesus. Tratava-se de um compromisso profundo e de longo prazo. Com postura de servo, abdicou de tudo e dedicou a vida ao povo a quem Deus o havia chamado.

Ele queria mostrar a uma pessoa grega o que significava ser uma pessoa grega que segue Jesus.

O mundo não precisa de imitações baratas. Não precisa de uma igreja que vista uma fantasia no intuito de se conectar com a cultura, nem de cristãos que deixem seus valores e identidade para trás em nome de se identificar com a cena. A cena precisa de seguidores firmes e genuínos de Jesus, que exemplifiquem corajosamente o que significa seguir Jesus. Com que se parece uma banda *hardcore* em São Paulo que segue Jesus? Como é um banqueiro de Londres que segue Jesus? Como é um *designer* gráfico em Nova York que segue Jesus? A cena precisa de cristãos autênticos, conectados, influentes e apaixonados pelo evangelho, com disposição para dedicar sua vida e abdicar de seus direitos a fim de ajudar esta geração a encontrar Jesus.

Para nós, isso significava caminhar ao lado do pessoal da banda *hardcore* de Guarulhos. Significava tocar em lugares grosseiros; significava longas viagens de ônibus para reunirmo-nos em sua pequena sala de ensaio; e, posteriormente, significava que nos mudássemos com nosso filho de 2 anos para Guarulhos e alugássemos uma casa comunitária com oito daqueles rapazes e moças que estavam crescendo rápido em sua fé.

Manifeste

Assim que nossa banda Alegórica começou a tocar regularmente em casas de *show* em São Paulo e outras cidades, e o estudo bíblico se desenvolvia em Guarulhos com Moah e a equipe de sua banda No More Lies, começamos a organizar alguns eventos juntos. A igreja Projeto 242 incluía muitos artistas, bandas e outros tipos criativos, como Angelo e Aline, que dirigiam seu próprio coletivo de produção de filmes alternativos. Havia muito potencial para organizar eventos interessantes e participar da cena cultural da cidade.

Começamos um movimento chamado Manifeste. O conceito era organizar eventos em diferentes locais que misturassem formas variadas de arte e criassem um terreno comum com artistas não cristãos e a cena em geral. Organizávamos eventos com diferentes estilos de música e, também, exposições de arte ou de fotografia, tendas de livros com *zines* independentes, mostras de filmes e debates, e outras coisas do tipo. Os artistas que se apresentavam não eram, em sua maioria, cristãos, mas sempre teríamos um ou dois artistas cristãos para compartilhar uma mensagem. Os eventos se destinavam completamente para o público em geral, não para a igreja. Mas, em cada evento, apresentávamos uma mensagem clara e ousada sobre Jesus.

Uma vez, Moah conseguiu se conectar com um foro cultural influente no centro de São Paulo. Foi em meados de 2014, o ano após os violentos protestos contra o aumento nas tarifas de ônibus e metrô. O pessoal que dirigia o foro também havia atuado na mobilização dos protestos e tumultos que aconteceram em São Paulo, e havia rumores de que alguns deles faziam parte dos infames *black blocs*, um grupo que realizou atos de vandalismo e violência durante os protestos. Eles tinham ouvido falar de alguns de nossos eventos do Manifeste e nos convidaram para usar seu espaço para uma edição especial. Dispunham de um prédio de três andares e nos ofereceram dois deles. (O outro andar se destinava a uma exposição que promovia a legalização da maconha.) Aproveitamos a oportunidade, na convicção de que era exatamente o tipo de lugar onde queríamos estar. Isso significaria compartilhar as boas-novas onde elas nunca haviam sido compartilhadas.

Preparamos uma programação com quatro ou cinco bandas, uma exposição de arte e um filme de conscientização sobre o tráfico de seres humanos. Nossa banda, Alegórica, tocaria em um momento-chave para apresentar Jesus ao maior número possível de pessoas. Durante a preparação do evento, várias pessoas vieram a mim com preocupações sobre pregarmos lá. "Luke, você não pode pregar nesse lugar; esses caras são do *black bloc*. Faz um evento de boa e construa relacionamentos." Mas sabíamos que Deus nos tinha dado aquela oportunidade por uma razão, e estávamos empenhados em dizer a verdade às pessoas.

Chegado o dia, o local estava lotado, visto que era também durante um evento cultural de toda a cidade e a entrada era gratuita. Nós nos preparamos e depois nos reunimos para orar numa área dos bastidores. Como sempre, eu estava nervoso e orava para que Deus me ajudasse a saber o que dizer. Fizemos a dramatização da crucificação e ressurreição de Jesus, e terminei com uma mensagem clara convidando as pessoas a conhecer Jesus. Eu disse àqueles que responderam à mensagem que viessem para os bastidores, e cerca de vinte pessoas apareceram. Conduzimos todos em oração, e a banda compartilhou histórias. Então uma garota pediu para dizer algo. Ela explicou que tinha visto nosso *show* no ano anterior e que havia conhecido Jesus. "Eu sabia sobre Deus antes, mas tinha esquecido. Foi como se ele tivesse ido àquele lugar atrás de mim. Ele nunca desistiu de mim." Foi um testemunho poderoso para as pessoas que estavam respondendo à mesma mensagem.

No final do evento, um dos gerentes do local, o tipo ativista político, um rastafariano com longos *dreadlocks*, foi até o Moah e o Angelo. Ele nos agradeceu pelo evento e perguntou se estaríamos interessados num acordo para eventos regulares ali.

Não há portas fechadas para o evangelho. Se nos envolvermos profundamente na cena, investindo em relacionamentos e, ao mesmo tempo, compartilhando corajosamente a mensagem da cruz, não há coração nem lugar que sejam duros demais.

Vá até eles

Reiterando o ponto: precisamos conhecer a cena, envolver-nos nela, fazer parte dela e comunicar-nos de forma relevante no contexto. Mas como fazer isso? Por onde começar?

Assim como fizemos no primeiro ano em São Paulo, sempre que empreendemos novas iniciativas numa cidade seguimos dois passos: primeiro, passamos tempo em oração pedindo a Deus sua visão para o projeto e, segundo, construímos relacionamentos indo aonde as pessoas estão: eventos, clubes, festivais, onde quer que a cena esteja acontecendo.

Quando iniciamos esforços evangelísticos com os alunos da Escola de Missões Steiger (SMS), na Alemanha, fomos às ruas de Neustadt, em Dresden. Basta caminhar pela Alaunstrasse para ter uma noção de quão diversificada, jovem, artística e *hipster* é a cena de lá. A arte de rua fala alto, os locais de encontro definem uma identidade cultural, e as paredes estão cobertas de cartazes de eventos interessantes, teatros alternativos, *shows*, festas e muito mais. Uma das primeiras coisas que pedimos aos nossos alunos é que vão a alguns desses lugares e eventos e observem, conheçam as pessoas, apresentem-se e façam novas conexões. Uma vez, um artista de rua do Brasil que estava estudando na SMS entrou numa loja de grafite local e se apresentou. Ele conheceu várias pessoas socializando lá fora, e antes que se desse conta já tinha sido convidado por alguns artistas locais para pintar algumas paredes oficialmente destinadas a obras de grafite numa praça nos arredores.

Quando começamos a cafeteria na região de Londres, uma das primeiras coisas que fizemos foi ir com a equipe para os parques onde os jovens estavam bebendo e puxar papo com eles a fim de convidá-los para a festa que descrevi no capítulo 1. Isso pode significar uma necessidade de sair da zona de conforto e conhecer pessoas diferentes do círculo social habitual. Mas, quando se busca em Jesus ousadia e paciência, o resultado será novos relacionamentos interessantes e portas abertas para uma conexão com a cena. É algo que demanda tempo, o que não é ruim. Isso abrirá portas para relacionamentos de longo prazo e maiores oportunidades de compartilhar o evangelho de forma relevante.

Quando você estiver lá fora conhecendo pessoas e conhecendo a cena, peça a Deus visão e ideias de como falar do evangelho e levar pessoas a Jesus. Quando David e sua equipe começaram em Amsterdã na década 1980, passaram um tempo visitando os pontos de encontro dos *punks*. Foi durante esse tempo que Deus inspirou David com a visão da No Longer Music. Cada situação pode exigir uma abordagem diferente, portanto pedir a Deus sua visão em cada contexto específico é importante. Mas é importante estar pronto para obedecer quando Deus lhe dá uma visão. Isso significa dar um passo de fé, ser ousado e começar pelo que já se tem. Não é preciso esperar até ter a ideia perfeita, a ferramenta artística perfeita ou todos os recursos à disposição. Descobri que Deus muitas vezes usa as coisas mais simples, especialmente no início. Ele honra nossos passos de obediência. Talvez isso queira dizer simplesmente ir às pessoas e falar com elas num bar ou fazer orações nas ruas. Talvez signifique abrir *shows* no clube local tocando três ou quatro músicas. Seja o que for, não espere. Ore e então aja.

Outra coisa pela qual sempre oramos é que Deus nos leve a conhecer alguns influenciadores relevantes na cena. Muitas vezes vi Deus usar uma pessoa-chave para abrir grandes portas para o evangelho. Conhecer Moah e sua banda foi crucial para o desenrolar do trabalho em Guarulhos. O estudo bíblico aconteceu porque ele convidou seus amigos, e uma coisa levou a outra. Quando começamos a ver a cafeteria em Londres encher de pessoas, sabemos que foi principalmente devido a alguns daqueles influenciadores que decidiram ir e convidar todo o resto. Costumo chamá-los de "rapazes ou moças da cena". O dom deles é relacional. São bons em desenvolver relacionamentos na cena. Eles conhecem todo mundo. Conhecem os melhores clubes e pontos de encontro; sabem o que está acontecendo, quais bandas e artistas estão por lá. São as melhores pessoas para organizar *shows*, eventos, estudos bíblicos ou o que Deus lhes colocar no coração, porque são líderes naturais nessa cena. Peça a Deus que o leve àquela pessoa-chave na cena.

Resumindo, sugeri quatro passos práticos que acredito serem importantes para chegar à cena:

1. Ore pela visão de Deus e observe a cena (descubra o que está acontecendo e como ela é).
2. Construa relacionamentos reais e de longo prazo com as pessoas.
3. Ore e procure influenciadores relevantes na cena, um rapaz ou uma moça.
4. Não espere para agir, para começar algo em parceria com essas pessoas-chave.

Depois de construir relacionamentos e entender o que está acontecendo na cidade e na região para a qual Deus o chamou, seus esforços em evangelismo e discipulado tenderão a ser muito mais relevantes e impactantes. Se continuar com isso no longo prazo, Deus poderá usá-lo de maneiras incríveis e o trabalho crescerá acima das expectativas.

8
Fale a verdade

Jesus nos chamou para ser sal e luz — distintos e influentes — para o mundo. Então, não basta fazer parte da cena e ter bons relacionamentos, é preciso contar a verdade às pessoas. Era isso que estávamos tentando fazer com a banda Alegórica.

Como eu disse antes, tudo começou com um pequeno grupo se reunindo para orar e pensar sobre como poderíamos comunicar a mensagem de Jesus à cena de São Paulo. Decidimos tocar *rock psycho-electro-scream* (não tente pesquisar no Google; não acho que exista algo assim). A maioria de nossa equipe era da igreja Projeto 242, como Hudson e Dalila, um casal criativo que tinha uma combinação descolada como músicos inovadores que eram, ao mesmo tempo, bons em ajudar as pessoas a crescer na fé. Tivemos uma atriz profissional chamada Verônica, um ex-dançarino contemporâneo budista chamado Nitiren, e David, nosso artista visual brasileiro-coreano que projetava nossa cenografia e figurino.

Depois de fazer algumas apresentações com as cinco primeiras músicas que escrevemos, além de uma dramatização muito elementar da morte e ressurreição de Jesus, decidi que precisávamos passar para o próximo nível. Liguei para o Adam, um voluntário polonês da Steiger que veio trabalhar conosco em São Paulo por um ano, e disse que precisávamos construir uma gaiola. Ele se aproximou do pátio da igreja, onde eu tinha começado a recolher materiais.

— Para o que seria isso? — perguntou.

— Durante a crucificação, quero ficar pendurado a dois metros do chão com correntes e ganchos — expliquei.

Adam riu e balançou a cabeça.

— Tô falando sério — continuei. — Precisamos mostrar o quão dramática é a cruz, de uma forma contemporânea. Precisamos levantar a cruz nas casas de *show*.

Então passamos a semana criando um efeito especial de "crucificação" suspensa.

Nosso cenário e nossas letras abordavam vários assuntos sobre os quais as pessoas em São Paulo estavam falando, como consumismo, relacionamentos, sexo, aborto e espiritualidade. Uma garota encenava uma tentativa de suicídio. Eu tentava impedi-la, e a banda me agarrava, pendurando-me pelos ganchos e correntes com os braços esticados como se estivesse numa cruz. Um membro da banda me matava com uma faca e, lentamente, baixava meu corpo ao chão. Então, numa atmosfera sombria, eles cobriam meu corpo com um pano branco. À medida que a música começava, surgiam alguns efeitos dramáticos de iluminação enquanto eu me levantava para mostrar a ressurreição. Enrolado no palco, olhando para a garota, eu dizia: "Não acredite mais nas mentiras. É hora de conhecer a força vital suprema. Ele sempre esteve do seu lado. Ele quer lhe dar a verdadeira liberdade. Ele ama você incondicionalmente. O nome dele.... (a banda silencia) é Jesus". "Jesus" era a última palavra da performance, e saíamos do palco com o nome pairando na mente de todos.

Algumas dessas falas eram do *show* da No Longer Music. Eu tinha visto o poder de Deus ao redor do mundo, conforme proclamávamos essa mensagem com a No Longer Music, e era isso que queríamos ver acontecer no Brasil e aonde quer que Deus levasse a Alegórica. Queríamos que as pessoas vissem o caráter de Jesus e como ele se importava com elas. Muitas pessoas hoje têm uma ideia negativa de Deus. Veem uma religiosidade vazia e superficial, e pensam que Deus está distante deles e é irrelevante para suas vidas. Mas a verdade é que ele as ama, e seu coração se parte por elas. Era comum as pessoas virem até nós depois da apresentação e dizerem: "Nunca havia pensado em Jesus dessa forma".

No Brasil, nos apresentamos no maior número de lugares que era possível, e logo tivemos a oportunidade de viajar também para alguns cantos inesperados do mundo.

Murmansk

Nossa primeira turnê fora do Brasil com a Alegórica foi num dos lugares mais distantes que se poderia imaginar. Após o longo voo do Brasil para o aeroporto de Helsinque, fizemos uma viagem de ônibus de dez horas para o norte da Finlândia. Depois, cruzamos a fronteira com a Rússia. Nosso ônibus quebrou, então tivemos de passar a noite numa floresta perto da estrada sem nada para comer, exceto restos frios de *pizza* de rena. No dia seguinte, depois de consertarmos o ônibus, outra viagem de oito horas até Murmansk. A equipe estava exausta.

No caminho, perguntei ao organizador em que tipo de local iríamos nos apresentar, e ele disse:

— Não tenho respeito nenhum por este lugar. É um lugar de assassinos, com brigas todas as noites.

Aquilo nos desanimou. Por causa do atraso na estrada, chegamos tarde. Sem tempo para descansar, fomos direto ao local do *show*. Quando chegamos lá, o dono, que parecia um mafioso, nos cumprimentou.

— Ouvi dizer que vocês são uma banda cristã. Quero que saibam que sou ateu.

Também disse que nossa apresentação estava agendada para o entardecer, e as pessoas só chegariam depois do *show*. Reunidos no estacionamento, oramos pedindo a Deus que trouxesse pessoas. Enquanto orávamos, tivemos a ideia de pedir ao dono do lugar que nos deixasse tocar duas vezes. Para nossa surpresa, ele concordou.

Durante o *show* o lugar estava cheio, e as pessoas pareciam gostar da música. Mas um grupo na frente do palco ficou zombando da apresentação o tempo todo. Perto do fim eu já estava bem nervoso, orando muito entre as canções. "Deus, aqui é a Rússia", orei silenciosamente. "Acho que não consigo pregar aqui como fazemos no Brasil." Mas, como costuma acontecer quando estou orando, senti Deus me encorajando a ser ousado. Enquanto eu anunciava a mensagem, os sujeitos que estavam zombando se aquietaram e ficaram sérios. Convidei as pessoas à frente, e um deles foi o primeiro a chegar. Outros se seguiram, e as pessoas começaram a bater palmas. Convidamos para os bastidores aqueles que responderam e a sala ficou cheia, umas quarenta pessoas querendo ouvir mais.

Uma jornalista entrou nos fundos da sala e pediu para fazer uma entrevista. Expliquei que queríamos falar com as pessoas, mas que ela podia ouvir. Então ela se sentou e escreveu tudo o que estávamos dizendo. Expliquei mais detalhadamente o que é seguir Jesus. As pessoas ouviram com atenção, e então as conduzimos em oração para que recebessem Jesus. A essa altura, a jornalista estava em lágrimas. Ela também entregou sua vida a Jesus. Perguntamos se alguém tinha perguntas, e uma garota levantou a mão.

— Por que você estão fazendo isso num lugar como este? Deveriam estar compartilhando essa mensagem na praça principal, para todos ouvirem. Ninguém nunca me disse as coisas que vocês disseram sobre Deus.

No dia seguinte, fomos à igreja em Murmansk. Era uma congregação pequena, a maioria com mais de 60 anos. Enquanto estávamos sentados ali, de repente um grupo de quatro jovens do clube onde tínhamos tocado entrou pelos fundos do pequeno recinto de culto. Um deles foi e sentou-se ao lado de uma senhora mais velha, que começou a chorar. Perguntei ao pastor, que estava sentado ao meu lado, se eles se conheciam.

— É o filho dela — explicou ele. — Faz anos que ela tem orado para que ele volte à igreja.

A jovem que nos perguntou por que não estávamos na praça pública proclamando as boas-novas para todos ouvirem também apareceu.

Levantando a cruz fora da igreja

É incrível fazer parte da família de Deus, da igreja, e experimentar o poder divino nas reuniões da igreja quando adoramos e ouvimos o ensino da Palavra. Mas nossa paixão é ver Deus se movendo fora da igreja, nas ruas, nos clubes, nos festivais e em todos os lugares onde as pessoas precisam ouvir a verdade. A Cultura Jovem Global carece da oportunidade de conhecer Jesus e ouvir como ele derrotou a morte e abriu a todos o caminho para Deus. Quando essa mensagem é pregada em lugares onde as pessoas nunca a ouviram, Deus age poderosamente.

Uma vez, fiz uma turnê em Santiago, no Chile, com a No Longer Music. Fazíamos a abertura para uma conhecida banda secular de *heavy metal* de Santiago. Eles organizaram vários *shows* para nós, nos quais pudemos compartilhar Jesus por toda a cidade. Tocávamos em lugares onde as pessoas se drogavam e vomitavam nos banheiros. Mas Deus estava se movendo poderosamente.

Numa apresentação, Cocke, o guitarrista da banda de abertura, estava trabalhando na mesa de som. Tínhamos conseguido encontrar um tradutor cristão local para traduzir a mensagem no *show*, mas ele não estava fazendo um trabalho muito bom. Enquanto estávamos levantando a cruz, de repente Cocke agarra um microfone na parte de trás e começa a traduzir apaixonadamente a mensagem. No final da apresentação, ele veio até nós tremendo.

— Sinto muito, não sei por que fiz isso.

— Não se preocupe, Cocke. Ficou muito bom! — nós respondemos.

Ele explicou que não pretendia assumir a tradução, mas de repente sentiu o impulso de fazê-lo. Disse que foi um sentimento tão forte como se fosse vomitar se não gritasse as palavras.

— Não sei o que estava acontecendo, mas parecia que eu era a voz de Deus em espanhol! O que está acontecendo comigo? — perguntou ele, ainda tremendo.

Explicamos que era o Espírito de Deus movendo-se por meio dele.

Então o convidamos para ir à igreja conosco no dia seguinte. David Pierce estava pregando e, quando terminou, convidou as pessoas a se apresentarem para receber Jesus. Cocke foi o primeiro a ir à frente de joelhos. Juntamo-nos para orar por ele. Ele soluçava e tremia, confessando seus pecados e pedindo perdão. Mais tarde, explicou que sentia uma mão entrando em seu peito e puxando para fora as coisas ruins. Ele era um homem transformado.

Cocke ia a toda parte conosco e participou com nossa equipe de todos os nossos momentos de oração e estudos bíblicos. Quando deixamos o Chile para seguir em turnê no Brasil, Cocke veio conosco. Reuni-me com ele diariamente para ler o evangelho e ensinar-lhe mais sobre Jesus. Posteriormente, a turnê chegou ao fim, e ele voltou para Santiago. Mas já estava completamente entregue a Jesus. Ele encontrou uma pequena igreja pentecostal tradicional em seu bairro, entrou e se sentou. No início, a congregação não sabia o que fazer com ele e suas tatuagens e *dreadlocks*. Mas ele se manteve firme ali, sabendo que aqueles eram seus novos irmãos e irmãs. Nos anos seguintes, ele também participou de turnês com a No Longer Music e foi um evangelista de coragem.

Na América do Sul, no Oriente Médio ou na Europa, temos visto Deus se mover poderosamente, atraindo as pessoas para si quando estamos dispostos a proclamar a mensagem da cruz de forma clara e relevante. Muitas vezes, depois de nossas apresentações, as pessoas vêm e dizem coisas como: "Não sou muito fã dessa coisa de Jesus e religião, mas isso me fez repensar um pouco" ou "Nunca tinha pensado em Jesus dessa maneira". A maioria das pessoas na Cultura Jovem Global tem uma ideia errada sobre Jesus, de modo que precisamos derrubar essas ideias preconcebidas. Quando as pessoas têm a chance de conhecer o Jesus verdadeiro e entender quem ele é e o que ele fez, elas sentem o desejo de conhecê-lo.

Mais que qualquer coisa, para alcançar a Cultura Jovem Global para Jesus, precisamos proclamar a verdade. E, à medida que o fazemos, precisamos lembrar que a verdade do evangelho é poderosa, relevante, provocativa, e deve ser clara.

Verdade poderosa

É fácil se deixar intimidar pela cosmovisão predominante global. Nossa mensagem parece tolice para esta cultura relativista. O apóstolo Paulo enfrentou todo tipo de oposição à mensagem sobre Jesus, mas ele explica que isso é o plano de Deus para mostrar seu poder:

> A mensagem da cruz é loucura para os que se encaminham para a destruição, mas para nós que estamos sendo salvos ela é o poder de Deus. Como dizem as Escrituras:
>
> "Destruirei a sabedoria dos sábios
> e rejeitarei a inteligência dos inteligentes".
>
> Diante disso, onde ficam os sábios, os eruditos e os argumentadores desta era? Deus fez a sabedoria deste mundo parecer loucura. Visto que Deus, em sua sabedoria, providenciou que o mundo não o conhecesse por meio de sabedoria humana, usou a loucura de nossa pregação para salvar os que creem. Pois os judeus pedem sinais, e os gentios buscam sabedoria. Assim, quando pregamos que o Cristo foi crucificado, os judeus se ofendem, e os gentios dizem que é tolice.
>
> Mas, para os que foram chamados para a salvação, tanto judeus como gentios, Cristo é o poder de Deus e a sabedoria de Deus. Pois a "loucura" de Deus é mais sábia que a sabedoria humana, e a "fraqueza" de Deus é mais forte que a força humana.
>
> 1Coríntios 1.18-25

A Cultura Jovem Global pode estar mergulhada em relativismo, mas há uma profunda fome espiritual. Talvez olhemos para a mentalidade à nossa volta e a apatia para com o cristianismo e sintamos medo de falar, medo de ofender. Mas, se mostrarmos às pessoas quem Jesus realmente é, e se mostrarmos a cruz, então o poder de Deus se moverá e as pessoas quererão conhecê-lo.

Uma vez, organizamos um evento Manifeste num parque de *skate* nos arredores de São Paulo. Tocaríamos com uma banda muito influente na cena *rock* paulista. O vocalista era um pregador. Mas ele não pregou as boas-novas sobre Jesus, ensinou uma cosmovisão humanista: "Acreditem no que quiserem, apenas acreditem em algo. Acreditem em si mesmos".

Na noite anterior ao evento, tive um sonho. Vi uma banda tocando na frente de centenas de pessoas que estavam ouvindo sua mensagem. Havia uma estranha vibração espiritual da Nova Era, e as pessoas meditavam e até levitavam. Tive uma sensação pesada, poderosa e do mal. Acordei com medo. "Deus, como posso falar sobre o Senhor num ambiente desses? Todos eles conhecem a mensagem cristã, e acham que é uma porcaria. Acham que somos fanáticos ou algo do tipo."

Quando chegamos ao parque de *skate*, reuni a banda e contei-lhes sobre meu sonho. Oramos para que Deus agisse com poder quando pregássemos a mensagem e que a outra banda conhecesse Jesus naquele dia.

Enquanto a outra banda tocava, o cantor fazia discursos apaixonados entre cada canção. "Sei que estão todos lutando pelo bem. Acreditem no seu potencial. Aqui não levantamos nenhuma bandeira religiosa; basta acreditar no que é bom". Imaginei que aquilo fosse um ataque contra nós, já que eles sabiam que éramos cristãos.

Tocamos logo em seguida. Quando terminamos nossa dramatização da cruz, fiquei na beira do palco e expliquei tão claramente quanto pude que, não importa quanto tentemos, não somos capazes de tornar o mundo um lugar melhor por nossa própria conta. "Jesus veio para derrotar a morte dentro de nós ao derrotar a morte na cruz. Ele pode limpar você e transformá-lo de dentro para fora. Mas você precisa se render a ele. Se quer conhecer Jesus, venha para o lado do palco para que possamos orar com você."

Saímos para o lado do palco. Cerca de cinquenta pessoas vieram. Para meu entusiasmo, vi três membros da outra banda em pé na frente da fila, incluindo o vocalista. Conduzimos as pessoas em oração para que recebessem Jesus. Depois, o cantor falou com um dos membros de nossa equipe. "Sinto que procuro algo há muito tempo, e que encontrei hoje."

A loucura de Deus é mais sábia que a sabedoria humana. À medida que a mensagem é pregada, Deus atrai para si até os corações mais duros. Ele é irresistível. Fico muito animado ao ver as diferentes maneiras pelas quais Deus revela a si mesmo, seu poder e sua realidade.

Uma vez, tocamos numa casa noturna em São Paulo chamada Hangar 110. Depois da apresentação, conversei com um rapaz chamado Renan que estava claramente comovido e consciente da presença de Deus naquele lugar. Na noite anterior, ele sonhou que estava numa gaiola e que o mal o cercava. Sentia-se preso. Na manhã seguinte, visitou uma amiga e contou a ela sobre seu sonho. Então, decidiram ir juntos ao *show*. Assistiram à performance de Alegórica com a gaiola e o tema do aprisionamento, terminando com a mensagem clara de que Jesus nos liberta mediante sua morte e ressurreição. Enquanto assistiam, a amiga do Renan agarrou-o pelo braço e, em lágrimas, disse: "Seu sonho!".

Depois de conversarmos, orei com ele. "Agora está claro para mim que há uma saída", disse ele. "Quero agradecer, não sei a quem, por essa mensagem."

Mais tarde naquele dia, ele postou no Facebook: "Obrigado, Deus, pela mensagem que ouvi no *show*". O Renan foi atraído por Jesus depois que Deus o preparou para a mensagem do *show* através de um sonho.

Os jovens de hoje precisam experimentar o poder de Deus. Esta geração, que não aceita mais a verdade absoluta, carece de sinais que validem a mensagem. Tem sido emocionante observar mais crentes orando corajosamente por cura em um novo movimento de evangelismo espontâneo de rua em todo o mundo. Deus está se revelando à minha geração de uma maneira sobrenatural. E o maior milagre de todos é quando Deus abre os olhos daqueles que não o conhecem, quando a mensagem das boas-novas é pregada e a cruz é levantada.

A experiência pessoal é de grande importância para esta geração global. Jesus nos chamou para fazer discípulos (Mt 28.19), e isso começa com um encontro pessoal com ele. Os jovens precisam experimentar o poder e a realidade de Deus, seja qual for a maneira que Deus escolher para se revelar.

Verdade subversiva

A carta de Colossenses descreve em detalhes o poder inerente da cruz, lembrando-nos do que acontece quando proclamamos corajosamente essa verdade. Descreve a cruz como o ponto culminante de uma batalha cósmica, o ato mais subversivo da história e o momento crucial da revolução de Deus.

Os crentes em Colossos vinham sendo influenciados por ideias e filosofias que os distraíam da centralidade e suficiência de Cristo. Então Paulo lhes escreveu com o intuito de trazê-los de volta a uma fé exclusiva em Cristo. Lembrou-os de quem Jesus realmente é, de seu poder supremo, sua autoridade espiritual, e que seu ato sacrificial na cruz é tudo de que eles precisavam para ter plenitude de vida.

Quando Paulo aponta para o incrível poder e autoridade de Jesus, ele descreve um drama emocionante de uma batalha entre Cristo e os governantes e as autoridades visíveis e invisíveis deste mundo:

> Vocês estavam mortos por causa de seus pecados e da incircuncisão de sua natureza humana. Então Deus lhes deu vida com Cristo, pois perdoou todos os nossos pecados. Ele cancelou o registro de acusações contra nós, removendo-o e pregando-o na cruz. Desse modo, desarmou os governantes e as autoridades espirituais e os envergonhou publicamente ao vencê-los na cruz.
>
> Colossenses 2.13-15

No capítulo 1, Paulo havia explicado que Jesus é Criador e Senhor, e que é vitorioso sobre tudo através do ato mais subversivo e revolucionário da história: sua morte e ressurreição. E agora, no capítulo 2, Paulo descreve três inimigos derrotados na cruz: um inimigo espiritual invisível, um sistema humano visível (Cl 2.15) e nosso próprio pecado (Cl 2.11-14). Sabemos que ele se refere a governantes e autoridades visíveis e invisíveis porque é assim que ele os descreveu no capítulo anterior (Cl 1.15).

Em Colossenses 2.11,15, Paulo usa um termo grego semelhante, que em português poderia ser traduzido como "desarmar". O versículo 11 nos diz que nosso eu pecador foi "removido" e o versículo 15 descreve como Jesus "desarmou os governantes e as autoridades espirituais" em sua obra na cruz. Significa que estamos livres de algo que nos oprime. Desarmar o inimigo significa tirar seu poder. Esse é o ato subversivo da cruz.

Um ato subversivo é um ato provocativo, que perturba a ordem e promove mudança. É Deus virando tudo de cabeça para baixo. O imperdoável é perdoado, o poder opressivo é desarmado, o último será o primeiro, a dor torna-se paz, e a tristeza converte-se em alegria.

O primeiro inimigo derrotado na cruz é o diabo. A Bíblia fala de um inimigo — Satanás — que é mau e nos tenta ao mal, e fala de um mundo espiritual que nos afeta. O apóstolo Pedro nos diz: "Estejam atentos! Tomem cuidado com seu grande inimigo, o diabo, que anda como um leão rugindo à sua volta, à procura de alguém para devorar" (1Pe 5.8). Na cruz Jesus expôs o diabo e desmascarou suas mentiras. Ele fez um espetáculo público de sua rebelião e maldade e revelou do que o inimigo é capaz. Ele mostrou que o mal é real.

Jesus também desarmou os poderes humanos visíveis deste mundo. O sistema religioso judeu se orgulhava de sua moralidade, mas Jesus pregou um padrão moral mais elevado que o do sistema religioso (e viveu de acordo com esse padrão). O sistema político romano se orgulhava de sua unificada e justa *Pax Romana*, mas Jesus estabeleceu uma comunidade com uma unidade e justiça mais profundas que as do Império Romano. E em sua morte ele desmascarou e desarmou esses sistemas. Na cruz, os líderes religiosos negaram a Deus como seu Rei e mataram o Messias que havia muito tempo esperavam; na cruz, o sistema de justiça romano "perfeito" condenou um homem inocente em um caso judicial maculado pela corrupção. Na cruz, esses venerados sistemas humanos foram expostos como insuficientes e, em última análise, como inimigos de Deus.

Mas o foco principal em Colossenses é nossa natureza caída. Assim como os poderes visíveis e invisíveis deste mundo, o coração humano procura ser Deus, procura ser autossuficiente.

No entanto, não somos autossuficientes, e em nosso egoísmo machucamos uns aos outros. Enganamos e mentimos; destruímos casamentos e famílias; causamos guerra, morte e injustiça. Isso tudo acontece dentro de nós. Precisamos nos dar conta de quem realmente somos. Somos egoístas. O tratamento que dispensamos aos outros, o que dizemos no Facebook, o que dizemos ao cônjuge, o que fazemos quando ninguém está olhando é a prova disso.

Como lidamos com isso? Ignoramos, tentamos esquecer. Ou culpamos outro alguém ou alguma outra coisa. Mas a cruz traz uma solução diferente, uma solução subversiva: o perdão. Jesus não pode ignorar o pecado, e em vez de culpar alguém, ele leva sobre si a nossa culpa. Não adianta tentar esquecer ou ignorar as coisas que fizemos. Precisamos de perdão. E apenas uma pessoa pode nos dar isso: aquele que está acima de todos os principados e poderes, acima dos sistemas do mundo e do diabo. Jesus oferece perdão total. E isso é suficiente para subverter meu coração e trazer regeneração completa — uma chance de começar de novo.

A cruz é o poder de Deus. Começa em meu coração e passa a subverter os poderes visíveis e invisíveis, transformando o mundo, a sociedade e a realidade espiritual à minha volta. Toda vez que a cruz é pregada, o diabo é exposto como um inimigo derrotado; o sistema e as autoridades são expostos como opressores; os pobres são favorecidos, os cativos são libertos, e o coração humano é regenerado. Isso é subversivo.

Verdade provocadora

Uma vez que tenhamos uma nova revelação do poder, da essência e da centralidade da cruz, desejaremos proclamá-la dos telhados à nossa geração. Como podemos fazer isso na cultura global de hoje? Já discutimos a importância de dar às pessoas a oportunidade de experimentar o poder de Deus e conhecer Jesus. Aqui quero enfatizar a importância de saber fazer boas perguntas e comunicar criativamente a verdade.

Um dos meus artistas de rua favoritos é o famoso e ainda assim anônimo Banksy, do Reino Unido. O que me intriga é sua maneira criativa de fazer perguntas poderosas que nos fazem parar e pensar a fundo sobre coisas que muitas vezes aceitamos como normais.

Em meio aos destroços de um edifício demolido, ele pintou um menino em pé com um pincel ao lado das palavras "Eu me lembro quando tudo isso eram árvores". Simples, sutil e, ao mesmo tempo, um tapa na cara. É como se ele estivesse perguntando: "Por que será que derrubamos todas aquelas árvores e construímos este grande edifício, para depois demoli-lo e deixar esta bagunça no lugar?".

Outra de que eu gosto é uma série de imagens do Che Guevara desaparecendo gradualmente ao longo de uma ponte em Londres. Durante o dia, sob essa ponte, um mercado vende roupas baratas, incluindo uma daquelas grandes barracas de camisetas de *rock* que sempre trazem a famosa camiseta com o ícone do revolucionário latino-americano. A forma inteligente com que a série de imagens idênticas vai desaparecendo e se distorcendo através da ponte levanta sutilmente a pergunta: "Será que desgastamos a imagem? A revolução acabou por se tornar parte da moda?".

A arte é poderosa. Diz o que as palavras por si só não podem dizer. Ela revela a profundidade da alma humana, em que o artista compartilha seu coração, sua mente e sua cosmovisão. É uma forma de comunicação ao mesmo tempo sutil e provocante. A arte grita alto, desafia o *status quo* e as convenções. Faz perguntas poderosas. E perguntas podem promover mudanças.

Francis Schaeffer acreditava no poder das perguntas. Como apologista, ele fazia perguntas às pessoas sobre sua cosmovisão: no que elas acreditavam e como explicavam a realidade. Ele apontava que, em algum momento, nossas suposições humanas sobre a realidade falham e nos deixam incompletos, mostrando nossa necessidade desesperada por Deus. Mediante perguntas, Schaeffer provocava as pessoas a repensar, no nível mais profundo, a base de seu sistema de crenças e sua consciência da realidade.

> Todo homem se encontra em algum ponto ao longo da linha entre o mundo real e as conclusões lógicas de seus pressupostos não cristãos. [...] Quando descobrimos, da melhor maneira que pudermos, o ponto de tensão da pessoa, o próximo passo é direcioná-la para a conclusão lógica de seus pressupostos. [...]. Assim se mostra sua necessidade. As Escrituras, então, mostram-lhe a natureza de sua perdição e a resposta a ela.[1]

Creio que isso é o que a arte cristã deveria fazer hoje. Provocar as pessoas a repensar, no nível mais profundo, suposições que são aceitas por todos como realidade. Desafiar a cosmovisão predominante que declara que a humanidade ocupa o centro e que Jesus é um pequeno detalhe na caixa chamada religião. Propor perguntas poderosas e revolucionárias e apontar as pessoas para Jesus, o autor da realidade. E, no entanto, é raro encontrar arte que faça isso. Fizemos de nossa mensagem um ícone desgastado? Talvez a mensagem de Banksy na ponte em Londres seja para nós. A revolução acabou se revelando uma moda passageira?

Em primeiro lugar, nunca seremos verdadeiramente instrumentos de um movimento artístico tão provocante se a verdade não nos atingiu. Isso não acontecerá enquanto não conhecermos o santo e todo-poderoso Criador do universo e entregarmos tudo a ele. Uma vez que eu possa dizer com Paulo que "o que para mim era lucro passei a considerar como perda, por causa de Cristo" (Fp 3.7, NVI), então posso tornar-me tudo para com todos (1Co 9.22) e ser um artista que verdadeiramente se envolve com a cena.

Com isso entenderemos, então, que seguir uma tendência da moda é fácil, mas estar na vanguarda de um movimento artístico cristão realmente provocante exigirá muito trabalho. Significa horas de oração. Significa realmente entender o mundo à nossa volta e conhecer as pessoas com quem nossa arte se conecta. Demanda pensamento profundo e reflexão. Exige trabalho árduo para refinar e aperfeiçoar nossa arte a um nível que toque de fato o coração e a alma. Requer ousadia incrível, criatividade afiada e pensamento fora da caixa para fazer as perguntas certas.

Conforme íamos a clubes noturnos tocar com a Alegórica e compartilhávamos as boas-novas sobre Jesus, nossos concertos não raro terminavam com horas de conversas profundas com as pessoas. Grandes questões surgiam nessas conversas, e aprendíamos cada vez mais sobre como as pessoas pensavam e os problemas que elas tinham com a fé e o cristianismo. Essas perguntas e conversas nos deram inspiração para letras e novas ideias para nossas apresentações, no esforço de nos envolvermos com os temas que ocupavam o coração e a mente de nosso público.

Alguns diziam coisas como: "É legal você acreditar em Jesus. Ainda estou pensando no que acredito, mas acho que todos os caminhos levam a Deus. Então, na verdade não é algo importante". Assim, escrevemos uma canção chamada "Espiritualidade no plural", na qual eu me vestia como um padre e as letras eram uma mistura de palavras e terminologia de diferentes religiões e ideologias, e no refrão cantávamos: "Quem não sabe aonde vai, qualquer caminho serve".

Outros com quem conversamos pareciam mais preocupados com dinheiro, carreira e aproveitar a vida. Então, escrevemos uma canção chamada "Deuses plásticos", na qual nossa atriz vestida como a Lady Gaga e a banda se curvavam diante de um manequim de loja enquanto batidas de tambores africanos criavam uma estranha vibração de adoração tribal ritualística.

Meu tipo de letras favorito é aquele que protesta, de uma forma *punk*, contra a mentalidade humanista secular predominante. Adoro isso, porque a maioria das pessoas pensa de forma alinhada ao humanismo secular sem nem perceber e acredita que se deve protestar apenas contra política ou religião. Então, viramos o jogo e questionamos a falsa esperança centrada no humanismo, com letras como "Na ordem das coisas, quem é mais importante que nós? Nossos direitos, aspirações! Não precisamos mais de heróis nem figuras religiosas, apenas alguém pra levar o lixo pra fora". A ironia disso pode fazer as pessoas pararem e pensarem: "Espere um minuto, isso não soa certo".

A arte é uma linguagem poderosa, e por seu intermédio podemos fazer perguntas importantes, mas falar a verdade na cena musical e artística de hoje às vezes é intimidante. O evangelho é muito contracultural. Possivelmente um dos obstáculos mais intimidantes é a crença subjacente de que a fé deve ser assunto privado e não algo a ser debatido em público. Com base nessa pressuposição, as pessoas dirão que não devemos "usar" a plataforma da arte e da música para pregar. Ou que a arte com mensagem é propaganda.

Discordo por duas razões. Primeiro, acredito que as pessoas querem discutir e ouvir sobre a vida, Deus, moralidade, espiritualidade e assuntos afins, porque, no fundo, elas têm fome de verdade. Segundo, acredito que quando crio, minha arte é essencialmente uma expressão de mim mesmo — meu talento, minhas ideias, meus questionamentos, minhas crenças, e muitas vezes aquelas coisas mais íntimas que as palavras não podem expressar. Portanto, se minha fé está no centro da minha vida, ela se manifestará na minha arte. Minha arte sempre terá uma mensagem, a mensagem que está mais próxima do meu coração.

As pessoas estão sedentas para falar sobre assuntos importantes, as grandes perguntas, as perguntas de Deus. Portanto, não tenha medo de falar a verdade em sua arte e na cena para a qual Deus o chamou.

Verdade clara

O evangelho é poderoso, subversivo, provocativo, mas o que é exatamente o evangelho? Ele já foi delineado ao longo deste capítulo, mas não quero terminar sem ser o mais claro e simples que puder sobre o que quero dizer com "falar a verdade".

Para esclarecer o que de fato é a mensagem do evangelho, a melhor maneira, é claro, é olhar para a Bíblia. Comecemos com a boa notícia que Jesus pregou:

> Depois que João foi preso, Jesus foi para a Galileia, onde anunciou as boas-novas de Deus. "Enfim chegou o tempo prometido!",

proclamava. "O reino de Deus está próximo! Arrependam-se e creiam nas boas-novas!"

Marcos 1.14-15

Jesus começou seu ministério indo a todos os lugares e proclamando que o reino de Deus estava próximo, que o ano do Senhor havia chegado. Em Lucas 4, vemos Jesus lendo o pergaminho de Isaías, a profecia sobre o ano do Senhor, o dia em que os cativos seriam libertos e os cegos recuperariam a visão. Ele devolve o pergaminho e declara: "Hoje se cumpriram as Escrituras que vocês acabaram de ouvir" (Lc 4.21). Jesus deixava claro, em todos os lugares por onde ia, que ele trazia o reino de Deus, que ele era o ano do Senhor, que ele era o que todos esperavam.

Ao longo do Evangelho de João, lemos como Jesus apontou para si mesmo como a salvação que todos aguardavam. Ele disse:

"Quem bebe da água que eu dou nunca mais terá sede" (Jo 4.14).

"Eu sou o pão da vida" (Jo 6.35).

"Eu sou o bom pastor" (Jo 10.11).

"Eu vim como luz para brilhar neste mundo, a fim de que todo aquele que crê em mim não permaneça na escuridão" (Jo 12.46).

"Eu sou o caminho, a verdade e a vida" (Jo 14.6)

Com frequência, as pessoas procuram transformar o evangelho em um sistema, uma série de princípios ou verdades que devemos contar às pessoas e, uma vez que elas aceitam cada passo, estão salvas. Quando leio o evangelho, entendo que na verdade se trata de uma história sobre uma pessoa: Jesus. O evangelho é Jesus. Precisamos apresentar Jesus às pessoas. Mas o que dizemos a respeito dele?

Ler o livro de Atos é de grande proveito, porque nele observamos a mensagem que os discípulos pregaram depois que Jesus voltou para o Pai. A primeira mensagem evangelística pregada pelos apóstolos após a descida do Espírito Santo foi de Pedro, que se dirigiu a uma plateia judaica em Jerusalém (At 2). Usando a Bíblia judaica (o Antigo Testamento) como base, Pedro mostrou que Jesus é o Messias e explicou como ele morreu e ressuscitou. Em Atos 10, lemos como Pedro pregou o evangelho pela primeira vez a um público não judeu. Em vez de se voltar para as Escrituras judaicas, começou dizendo que Deus aceita todas as nações, e então passou a explicar novamente como Jesus morreu e ressuscitou. Em Atos 17, Paulo pregou a um grupo de filósofos gregos em Atenas. Começou comentando sobre a religiosidade grega e o desejo de buscar e conhecer a Deus, chamando a atenção para seus muitos ídolos e estátuas. Também citou um de seus poetas. Ao apontar para Deus, o Criador, voltou-se para Jesus, o homem designado por Deus, que o ressuscitou dentre os mortos.

Quando os apóstolos pregavam, eles basicamente falavam sobre Jesus. Abordavam cada público de acordo com a situação e o contexto. Iam às pessoas e falavam de uma maneira que elas pudessem entender, mas o âmago da mensagem era sempre o mesmo: Jesus é o Filho de Deus (divino); ele ressuscitou dos mortos; e todos devem arrepender-se, crer nele e ser batizados.

Em sua carta aos Coríntios, Paulo descreveu o cerne de sua mensagem:

> Eu lhes transmiti o que era mais importante e o que também me foi transmitido: Cristo morreu por nossos pecados, como dizem as Escrituras. Ele foi sepultado e ressuscitou no terceiro dia, como dizem as Escrituras.
>
> 1Coríntios 15.3-4

Muitas vezes, esquecemos a importância de apresentar a mensagem com essa mesma simplicidade e clareza. Parece mais fácil compartilhar uma boa história sobre nossa vida, nosso testemunho, ou dizer às pessoas que Deus as ama. Pode ser um bom começo, mas não é o evangelho. O evangelho é Jesus e a verdade sobre sua morte e ressurreição. Dietrich Bonhoeffer, o teólogo alemão que se levantou contra o poder nazista durante a Segunda Guerra Mundial, nos chamou de volta ao essencial: será que nossa pregação não contém muito "de nossas próprias opiniões e convicções, e pouco de Jesus Cristo"?[2]

Paulo escreveu aos filipenses quando estava sob prisão domiciliar em Roma. Declarou que estava acorrentado por causa da mensagem sobre Jesus. Também comentou com a igreja em Filipos sobre pessoas lá fora que o invejavam e procuravam desacreditá-lo. Mas ele celebrou tanto suas correntes como os ataques à sua reputação, dizendo que, "sejam as motivações deles falsas, sejam verdadeiras, a mensagem a respeito de Cristo está sendo anunciada" (Fp 1.18). Paulo só pôde dizer isso porque sua mensagem era clara e direta. Sua ênfase não recaia sobre ele próprio, sobre o que ele tinha feito, sua história ou ministério. Seu foco sempre foi Jesus. E, por causa disso, quando sofreu, sofreu por Jesus. Mesmo quando pessoas invejosas tentavam competir com ele, elas pregavam Jesus!

Falar de Jesus pode parecer intimidante para muitos, mas descobri que sempre que saímos por aí com fé e ousadia, cada um à nossa maneira, ver Deus trabalhando na vida de alguém de repente coloca tudo em perspectiva e nos lembra do que realmente importa. É emocionante e revigorante.

E, é claro, somos todos chamados a fazer isso de maneiras diferentes. Alguns são mais capacitados para compartilhar Jesus mediante um relacionamento próximo. Outros são bons em encontros espontâneos. Outros são chamados a abordar pequenos grupos na rua. Deus usa outros para se dirigir a grandes multidões em eventos ou mesmo em estádios de futebol. Mas, quaisquer que sejam as maneiras pelas quais Deus nos use, quaisquer que sejam as oportunidades que ele nos dê, nossa geração precisa ouvir a verdade. E minha oração é que encontremos as maneiras mais criativas e impactantes de proclamar a verdade à maior cultura não alcançada hoje.

Nas oportunidades que Deus lhe der, comece procurando entender no que aquela pessoa ou grupo de pessoas já acredita, o que está acontecendo na vida delas e quais são suas perguntas e barreiras para o evangelho. Compartilhe sua fé de forma natural. Não sinta que deva expor tudo em cada encontro, mas deixe que Deus o guie e lhe dê oportunidades. Compartilhe seu testemunho pessoal, se isso fizer sentido. Procure conexões e oportunidades para mostrar como seu jeito de ver o mundo é guiado por seu relacionamento com Jesus.

Acima de tudo, porém, procure o momento certo para explicar quem é Jesus, sua divindade, seu amor, sua morte e ressurreição. Fale sobre por que precisamos dele, sobre nossa natureza humana, nosso coração caído e nosso pecado. Quando essa pessoa ou grupo estiver pronto, chame-os ao arrependimento, explique como precisamos do perdão de Deus e deixe-os saber o que significa entregar tudo a Jesus quando escolhemos segui-lo.

Você pode não ter a chance de dizer tudo o que quiser, mas o mais importante é que as pessoas tenham a chance de conhecer Jesus pessoalmente. Ofereça a oração, pois essa é uma boa maneira de as pessoas tomarem consciência da sua presença. Ore para que o conheçam e que ele se revele a eles.

Fale a verdade.

9
Caminhe junto

Em São Paulo, se tivéssemos simplesmente entrado na cena, pregado uma mensagem e depois dito às pessoas que fossem à igreja, a maioria não teria ido. O fosso cultural entre a igreja e a nossa cultura representa um enorme desafio para muitos. Aliás, esta é uma das perguntas mais comuns que surgem quando conversamos sobre nossos projetos evangelísticos: "O que você faz com as pessoas quando elas respondem? O que vem em seguida?". Sabemos como pode ser difícil, sobretudo para os jovens, simplesmente entrar numa igreja. Depois de compartilhar a mensagem, precisamos andar juntos.

Aprender a seguir Jesus precisa começar na cena, no contexto de onde as pessoas vêm. É isso que significa tornar-se tudo para com todos. Paulo não só foi aos gregos para pregar sobre Jesus, mas também passou tempo com eles, por vezes anos. Vivia no meio deles e mostrou-lhes o que significava ser um grego que seguia Jesus. Isso é discipulado, a antiga prática de aprender a seguir Jesus e ajudar outros a fazer o mesmo. Não há nada de novo aqui. Mas precisamos pensar no contexto em que nos encontramos hoje e abordar alguns dos desafios específicos para que alguém que vive nesta cultura global aprenda a seguir Jesus.

Acredito que a primeira coisa, e a mais importante, é que as pessoas tenham a oportunidade de conhecer seguidores corajosos e autênticos de Jesus que tenham uma fé viva, que sejam cheios do Espírito Santo, apaixonados pela Palavra, membros de uma comunidade acolhedora que demonstre ativamente o que significa seguir Jesus hoje.

Assim como nossa cultura relativista atual apresenta desafios para compartilhar Jesus, ela também oferece dificuldades no que se refere a fazer discípulos para Jesus. Tomar a decisão de seguir Jesus não faz que tudo se esclareça instantaneamente. Até que o novo crente se alicerce na Palavra de Deus, ele pode ficar confuso quanto àquilo em que acreditar e quanto a como definir a verdade. Por essa razão, uma das coisas mais importantes no discipulado hoje é tornar a Bíblia acessível às pessoas no lugar onde elas estão. Isso significa um bom e sólido estudo e ensino bíblico, numa língua e num formato acessíveis à Cultura Jovem Global. Esse é um enorme desafio para uma geração que vive em movimento, sem tempo para compromisso e profundidade. Mas, uma vez que eles descobrem a incrível Palavra de Deus e experimentem seu poder, são contagiados com a fome de sua verdade vivificante e coerente.

O consumismo levou à perda de identidade e a relações superficiais. Também levou a uma perda de paixão. As pessoas já não têm nada pelo que lutar. Acredito que a resposta-chave a esses desafios específicos resida em uma comunidade viva e ativamente engajada de seguidores de Jesus. A construção de uma comunidade cheia do Espírito Santo, unida e acolhedora, pode reverter a cadeia de mentiras por trás desta cultura socialmente fragmentada e desconexa.

Quando nos despimos da "cultura eclesiástica" desnecessária e vivemos como a comunidade de crentes que Jesus nos criou para ser, a igreja se torna um milagre, única e sem precedentes na sociedade de hoje. A igreja deve ser uma comunidade de todas as idades, todas as origens sociais, todos os grupos étnicos e todas as esferas da vida, unida por uma verdade, um espírito e um batismo, vivendo um amor fundamentado na graça e no perdão. A sociedade não oferece e não pode oferecer nada parecido, e no entanto é justamente isso o que todos procuramos. É ali que podemos experimentar aceitação pelo que somos e redescobrir uma identidade genuína. E, em vista da oportunidade de nos envolvermos na ação desse poderoso movimento evangélico, também redescobrimos a paixão de sermos agentes de mudança na sociedade. O envolvimento na transformação social, compartilhando as boas-novas e fazendo discípulos, é o melhor remédio para o entorpecimento resultante de se viver numa sociedade consumista.

Quando compreendemos essa visão da igreja, nossa maior e mais importante tarefa é construir pontes. Precisamos encontrar uma maneira de acolher as pessoas nessa comunidade e dissipar seus preconceitos e a imagem negativa que elas têm da igreja. Sem dúvida, há também a necessidade de renovação e reavivamento dentro da própria igreja, mas aqui quero focar essa linha de frente e a ponte para a igreja. Com essa missão em mente, procuramos identificar como parceiras igrejas fortes e saudáveis, que sejam dinâmicas, abertas e acolhedoras aos jovens.

O discipulado é um processo que dura a vida toda, e que começa antes mesmo de escolhermos seguir Jesus. À medida que Deus vai se aproximando de nós ao longo de nossa vida, constantemente nos chamando para casa, há momentos fundamentais de discernimento e aprendizado através dos quais nos tornamos cada vez mais conscientes de sua incrível realidade. São os primórdios do discipulado. E, quando entramos em contato com a mensagem do evangelho proferida e vivenciada por testemunhas cristãs, começamos a aprender e entender mais sobre o amor, a graça e o perdão de Jesus. Em última análise, aprendemos que ele é o Senhor, e que precisamos nos entregar a ele.

Uma vez entendido esse processo, percebemos que o discipulado deve começar onde quer que as pessoas se encontram. Quando vamos até elas com as boas-novas, já estamos nesse incrível processo de fazer discípulos. Não raro, colocamos o discipulado numa caixa. Quando pensamos em discipulado, imaginamos coisas como uma aula na escola bíblica na igreja ou um relacionamento formal de mentoria individual. Essas são coisas importantes a fazer, mas o discipulado não começa no dia em que um jovem entra na igreja. A cultura da igreja pode ser intimidante para um novo crente. Nossa tendência é esperar que ele venha à igreja no domingo seguinte vestindo as roupas apropriadas e dizendo as coisas certas. Então, dizemos que eles precisam ser "ministrados" e que precisam sentar e ouvir sermões ao longo dos próximos três anos antes que possam ser autorizados a tocar violão no grupo de louvor. O pobre rapaz fica lá sentado, pensando: "Mas eu nem gosto de tocar esse tipo de música...".

O discipulado precisa se dar no contexto de onde as pessoas vêm. À medida que vamos às pessoas e compartilhamos as boas-novas de uma forma relevante no lugar onde elas se encontram, precisamos oferecer a oportunidade de que comecem a entender e crescer em sua fé onde elas também estão. Quando isso acontecer, veremos frutos. Um jovem crente aprendendo a seguir Jesus na cena de onde vem, aprendendo a ser sal e luz para este mundo, com seus amigos e rede de contatos, tem um efeito poderoso. Torna-se missionário desde o primeiro dia, enquanto continua engajado em seu próprio ambiente e em seus próprios relacionamentos, levando outros à fé.

Esses discípulos são os mais eficazes e influentes nesse esforço de alcançar a cultura global. Tornam-se agentes de mudança e de tendências numa sociedade globalizada, linha de frente na propagação do reino num mundo acelerado e em mutação. "A resposta do discípulo não é uma confissão oral da fé em Jesus, mas um ato de obediência."[1]

Mas primeiro vamos à fonte a fim de nos lembrarmos o que, afinal, é o discipulado.

Jesus, o fazedor de discípulos

O autor Augusto Cury é um médico e psiquiatra que estudou o funcionamento da mente. Tornou-se um dos autores mais populares do Brasil. Seu primeiro romance, *O futuro da humanidade*, conta a história de um homem que se torna sem-teto na tentativa de se isolar da sociedade. O personagem principal, um estudante de medicina que faz amizade com o sem-teto, desafia esse conceito explicando que é impossível ficar verdadeiramente isolado do mundo à nossa volta:

> Ninguém é uma ilha física, psicológica ou social dentro da humanidade. Todos somos influenciados pelos outros. Todos nossos atos, quer sejam conscientes ou inconscientes, quer sejam atitudes construtivas ou destrutivas, alteram os acontecimentos e o desenvolvimento da própria humanidade.[2]

Deliberadamente ou não, influenciamos as pessoas que nos cercam. Podemos ser uma influência positiva ou negativa, e isso pode ser proposital, ou podemos fazê-lo de forma totalmente inconsciente. Por um lado, isso traz um peso de responsabilidade. Por outro, é uma grande oportunidade. Temos a chance de fazer a diferença no mundo se formos intencionais em nossas palavras e ações.

Jesus foi muito intencional ao ensinar e influenciar as pessoas com as quais deparava. Na verdade, era a estratégia-chave dele. Chamava pessoas para andar com ele, e ensinava-as a ser como ele. Estas, por sua vez, ensinavam outros a ser como Jesus. Isso é discipulado.

Como resultado, para a igreja primitiva, ser cristão significava ser discípulo e fazer discípulos. Significava aplicar mente e vida para ser como Jesus em atitude e ações, e significava cumprir a grande comissão de ir e fazer discípulos de todas as nações (Mt 28.19).

Jesus usou dois métodos principais de ensino: ser e enviar. "Escolheu doze e os chamou seus apóstolos, para que o seguissem e fossem enviados para anunciar sua mensagem" (Mc 3.14).

O início dessa relação entre Jesus e seus discípulos é bastante notável. Ele vai até alguns pescadores e diz: "Venham! Sigam-me, e eu farei de vocês pescadores de gente" (Mc 1.17). Havia na autoridade de Jesus algo que atraiu esses homens, e seu primeiro pedido é para que andem com ele. "Sigam-me", ele disse. Passar tempo juntos era parte crucial do estilo de vida de discipulado de Jesus.

Enquanto Jesus passava tempo com seus discípulos, às vezes ele ensinava. "Quando estava sozinho com seus discípulos, explicava tudo para eles" (Mc 4.34). Outras vezes, ele os chamava para descansar. "Vamos sozinhos até um lugar tranquilo para descansar um pouco" (Mc 6.31). Mesmo as situações mais cotidianas se tornavam oportunidades de aprendizado, como quando Jesus usa uma discussão entre os discípulos para ensinar a humildade (Mc 9.33-35).

Mas Jesus não ensinou apenas teoria, ele enviou os discípulos para praticarem. Em Marcos 6.7-11, vemos Jesus enviando os discípulos para que pregassem, expulsassem demônios e curassem enfermos. Mais tarde, quando os discípulos vão a Jesus para lhe dizer que seu público estava com fome e precisava de comida, Jesus responde algo como: "Façam vocês mesmos algo a respeito!" (ver Mc 6.37).

Jesus faz do discipulado um estilo de vida, um relacionamento simples do dia a dia. Usava situações cotidianas para ensinar e dar às pessoas a oportunidade de se envolverem na ação. Essa ainda é a forma mais eficaz de fazer discípulos hoje, especialmente no contexto da Cultura Jovem Global. Num mundo de ceticismo e antagonismo em relação a instituições e programas, precisamos de uma abordagem autêntica e natural para fazer discípulos. Uma geração com relacionamentos despedaçados e em crise de identidade tem sede de alguém a quem se doar, para uma profunda aprendizagem relacional. Uma geração que perdeu seu propósito e sua paixão pode ser despertada pela oportunidade de se envolver com o desafio de "fazer eles mesmos algo a respeito!".

Barnabé, o fazedor de discípulos

Imagino que a maioria dos leitores tenha ouvido falar do apóstolo Paulo. Mas o que você sabe sobre Barnabé? Barnabé era um fazedor de discípulos, e uma leitura atenta de Atos mostra que o dom de Barnabé foi fundamental para os primeiros passos de Paulo como cristão.

Tomamos conhecimento de Barnabé em Atos 4, em que ele é apelidado de encorajador. A relação entre Barnabé e Paulo começa no capítulo 9. Paulo tinha encontrado Jesus na estrada para Damasco e foi transformado, mas todos tinham medo de encontrá-lo, até mesmo os apóstolos. Barnabé veio e encorajou Paulo a encontrar os apóstolos, apresentando-o a eles e usando sua credibilidade para dar a Paulo uma chance.

No capítulo 11, Barnabé recebe dos apóstolos uma importante tarefa. Pela primeira vez, alguns crentes não judeus estavam formando uma igreja em Antioquia, e os apóstolos enviaram Barnabé para verificar o que se passava ali. A essa altura, Paulo estava de volta à sua cidade natal, ao que parece sem ter muito o que fazer, à espera de uma oportunidade. Barnabé chamou Paulo e o levou para Antioquia.

Em Atos 12, Barnabé e Paulo já haviam formado tamanha amizade e parceria que a igreja de Antioquia decidiu enviá-los como uma equipe missionária. Durante essa viagem, em missão a Listra (At 14), os gregos imaginaram que eles fossem deuses porque haviam curado um aleijado. Chamaram Barnabé de Zeus (o deus principal) e Paulo de Hermes, "pois era ele quem proclamava a mensagem" (At 14.12). Barnabé ainda parecia ser o líder, mas encarregava Paulo de falar publicamente. Então, mais uma vez, vemos Barnabé encorajando Paulo, levantando-o, estimulando-o em seu dom.

Atos 15 nos fala da curiosa situação em que esses dois amigos brigam e chegam a diferenças tão irreconciliáveis que escolhem seguir caminhos separados. Barnabé queria trazer Marcos numa de suas viagens, mas Paulo não o queria por perto. Marcos tinha desistido e deixado a equipe numa viagem anterior, e na visão de Paulo, Marcos não era adequado para o serviço. Barnabé, o encorajador, queria dar outra chance a Marcos. Embora seja difícil entender como homens tão piedosos não conseguiram resolver essa situação, o fato é que Paulo seguiu plantando igrejas em todo canto e escrevendo grande parte do Novo Testamento, enquanto Barnabé investiu seu tempo em Marcos, que passou a servir tanto a Pedro quanto, posteriormente, ao próprio Paulo. Na verdade, é bem provável que tenha sido o mesmo Marcos que escreveu o evangelho com seu nome.

Barnabé investiu sua vida em outras pessoas. Ele não estava no centro das atenções, mas por causa dele temos hoje Paulo, Marcos e a maioria do Novo Testamento. Barnabé sabia do poder exponencial do discipulado.

Bíblia

Estudar a Bíblia com o pessoal *hardcore* de Guarulhos, muitos dos quais nunca tinham lido a Bíblia antes, foi incrível. Não raro, ler uma passagem pela primeira vez resulta nos melhores comentários e *insights*, pois a pessoa tem uma nova perspectiva e uma curiosidade que infelizmente parecem se perder com os anos de igreja. Certa vez, depois que terminamos de ler a parábola de Jesus sobre o filho perdido, olhei para cima e Rafael, um sujeito alto com os braços cheios de tatuagens, estava em lágrimas.

— Rafael, tá tudo bem? — perguntei.

— É uma história muito bonita — ele disse.

— Mas você já tinha ouvido essa história antes, certo? Todo mundo a conhece.

— Não, nunca tinha ouvido — explicou. — É legal demais o jeito como o pai esperava o filho voltar para casa.

— Sim — eu disse —, Jesus contou essa história para que pudéssemos entender como Deus se sente com relação a nós.

Queríamos que esses novos convertidos se sentissem parte de uma comunidade, que fossem parte da igreja, mas aquele já era um grande passo. Estudar a Bíblia juntos, primeiro em seu próprio contexto, significava que eles tinham a chance de entender mais sobre Jesus e o que significava segui-lo. Lendo até o final a história do evangelho, chegamos à parte em que Jesus envia os discípulos para batizarem as pessoas e fazerem mais seguidores. Perguntei se queriam ser batizados, e sete deles disseram que sim.

Pois bem, eu venho de uma igreja batista tradicional na Inglaterra, e os batistas sempre têm batistérios estilosos debaixo do púlpito na igreja. Então perguntei ao Sandro, nosso pastor, se eu poderia colocar uma banheira no Projeto 242 para batismos. Há algo muito especial num batismo na igreja com todos reunidos em adoração. É mais íntimo que ir a uma piscina em algum lugar qualquer. Então comprei uma velha banheira de ferro, renovei-a e preparei um espaço bacana na igreja para o batismo.

Para alguns daqueles jovens, a primeira vez que vinham a um culto na igreja foi para receber o batismo. Foi um momento poderoso, e fomos todos muito impactados pela incrível presença de Deus. Um rapaz da igreja fez um vídeo que ele enviou para o YouTube, e pouco depois disso outros entraram em contato conosco perguntando se poderiam ser batizados em nossa banheira.

Aprendi muito com esse pessoal e com todo esse processo. Dois aspectos do discipulado abordados neste capítulo se destacam para mim: o discipulado precisa começar onde as pessoas estão, em seu próprio contexto, e as pessoas precisam entrar em contato com a poderosa Palavra de Deus.

A banda *hardcore* de Guarulhos precisava aprender o que significava, para uma banda *hardcore* de Guarulhos, seguir Jesus, assim como os gregos precisavam aprender com Paulo como deveria ser um grego que segue Jesus. Ser um grego que segue Jesus era diferente de ser um judeu que segue Jesus. Isso apresentava diferentes desafios e oportunidades. Se eu tivesse dito ao pessoal que fosse à igreja, talvez não tivesse visto muitos deles depois disso. Ir até eles, passar tempo com eles em seus ensaios, em seus *shows* e em suas casas, foi essencial para entender quem eles eram e de onde estavam vindo. E era essencial para eles verem mais de perto como poderia ser a vida com Jesus.

Também precisamos entender o poderoso resultado de tornar a Palavra de Deus acessível às pessoas onde elas estão. A primeira vez que percebi isso foi quando eu estava no ensino médio. Meu pai trabalhou com o movimento cristão estudantil nas universidades do Brasil. Boa parte do que ele fez foi dar aos alunos acesso à Bíblia num ambiente que os acolhesse como não crentes. Os estudos bíblicos consistiam em discussões abertas nas quais as pessoas podiam explorar, debater e descobrir quem Jesus é por si mesmas. Então, decidi que queria experimentar isso na minha escola.

Convidei alguns amigos para se juntarem a mim na condução de um grupo de discussão bíblica durante as férias escolares. Eles eram descrentes, mas tiveram uma educação católica e estavam curiosos. Tivemos permissão para usar uma sala de aula, e um grupo de vinte ou mais se juntou a nós nos primeiros meses. Mas então o diretor da escola me chamou para seu escritório um dia e me disse que eu tinha de terminar o grupo de estudo bíblico porque poderia causar "conflito religioso" na escola. Isso despertou minha fúria adolescente.

Fui para casa e me vesti de preto, e pendurei uma placa nos ombros que dizia "Deus está morto" na frente e "... para muitas pessoas" nas costas. Fui para a escola vestido assim e marchei em protesto durante o intervalo. As pessoas perguntavam o que havia de errado e por que eu estava vestido daquele jeito. Expliquei que tínhamos sido proibidos de fazer um estudo bíblico na escola. Logo um monte de alunos que nunca tinham ido a um estudo bíblico estava se juntando! "Sim! Queremos o direito de ter um estudo bíblico em nossa escola!" Fizemos uma petição para poder fazer o estudo bíblico, e centenas de estudantes assinaram.

Nunca recebemos uma resposta do diretor, mas decidimos que era o suficiente para continuarmos com o estudo bíblico. Nosso grupo dobrou de tamanho e ganhou novo impulso. À medida que caminhávamos pelo evangelho, as pessoas vinham preparadas com perguntas e desafios, descobrindo cheios de curiosidade um texto do qual sempre ouviram falar, mas que nunca tinham lido de verdade.

Como compartilhei no início do livro, encontrei um resultado semelhante na discussão da Bíblia com os jovens em nosso projeto de cafeteria em Londres e em nosso estudo bíblico em Guarulhos. Quando concedemos às pessoas a chance de ler a Palavra, fazer perguntas e discuti-la em seu próprio ambiente e numa linguagem que eles entendem, descobrimos que sentem uma profunda fome pela verdade.

A ênfase principal de um estudo bíblico informal (ver guia no Apêndice) é ajudar pessoas que possivelmente nunca leram a Bíblia, ou que nem mesmo entraram numa igreja, a encontrar comunidade e contato com a Palavra de Deus e encontrar Deus enquanto ele se revela poderosamente através das histórias e lições das Escrituras. É importante evitar que se torne outro lugar de encontro para cristãos. Em vez disso, deve ser um lugar onde pessoas de diferentes contextos e crenças se sintam bem-vindas, façam perguntas, digam coisas que não se costuma dizer numa igreja, discordem e discutam tópicos relevantes. Com isso em mente, é claro que tentar conduzir um estudo bíblico informal sem primeiro se envolver com a cena como descrito nos capítulos anteriores simplesmente não vai funcionar.

Um estudo bíblico informal deve ocorrer num local confortável, familiar e de fácil acesso para o público descrito acima. Pode ser uma cafeteria, um clube, um centro cultural, uma casa comunitária ou algum outro lugar onde as pessoas se reúnem naturalmente.

Os estudos bíblicos ou cursos de discipulado na igreja são, em sua maioria, demasiadamente estruturados e seguem um formato de lição ou palestra. Uma pessoa na frente explica o que a Bíblia está dizendo e ensina às pessoas quais são os princípios e como elas devem aplicá-los em sua vida. Para pessoas que nunca foram à igreja, essas reuniões podem parecer com uma volta ao ensino médio. São muito formais e, em geral, envolvem palavras e termos que eles não entendem.

Estudos informais da Bíblia consistem em lermos nós mesmos a Bíblia, descobrirmos sua mensagem e o Deus vivo por trás dela. Fazemos isso focando passagens em vez de um professor e fazendo boas perguntas como grupo para descobrir o que a passagem está dizendo. Os jovens de hoje são céticos em relação a instituições e autoridades, e não estão inclinados a tão somente sentar e ouvir um líder explicar aquilo em que eles devem acreditar. Para uma geração habituada a encontrar as próprias respostas e tomar as próprias decisões, o conceito de descobrir as respostas por conta própria repercute em seu coração.

Nesse movimento missionário para o qual Deus nos chamou, uma das minhas orações é para que o estudo da Bíblia seja parte central da nossa cultura à medida que buscamos alcançar a juventude global. Oro por equipes dinâmicas em todas as cidades, equipes que se envolvam com relevância na cultura jovem e se reúnam em torno da Bíblia, deixando que o poder inerente da Palavra de Deus transforme corações e mentes.

Comunidade

A Cultura Jovem Global enfrenta uma crise de relacionamento. E uma comunidade autêntica em torno da Palavra é a resposta para essa crise. Uma comunidade centrada no evangelho é, muitas vezes, o primeiro encontro que a pessoa tem com relacionamentos autênticos. O sentido de propósito e aceitação na comunidade facilita a descoberta da identidade em Jesus.

Dietrich Bonhoeffer considerava a comunidade o maior privilégio do cristão. A comunidade que ele elogiou não era o padrão comum de encontros uma vez por semana, mas uma vida compartilhada no dia a dia, adorando, lendo a Palavra, orando, comendo e trabalhando em comunhão.[3]

Lindsay Olesberg atua como coordenadora das Escrituras para a Urbana Student Missions Convention. Ela tem supervisionado o estudo bíblico e a exegese em grandes encontros evangelísticos em todo o mundo, e menciona a importância da comunidade no contexto do estudo da Bíblia: "Quando nos reunimos, com a Escritura no centro de nossa vida comunitária, algo bonito se desenvolve. Estudar a Bíblia em comunidade nos sustenta, nos alimenta, nos une e nos lança para o mundo, a fim de que tomemos parte na missão de Deus".[4]

As barreiras culturais entre a igreja e o mundo exterior e a falta de familiaridade que um recém-chegado enfrenta ao entrar no culto religioso dificultam a comunidade real. Para que haja comunidade autêntica, precisamos das pessoas da igreja, não do prédio e da programação da igreja. Nesse sentido, a comunidade pode e deve ficar à disposição dos não crentes *antes* que eles venham a um culto de domingo. Isso pode acontecer em qualquer lugar de nosso cotidiano — um estudo bíblico numa cafeteria, uma celebração de amigos, um festival ou uma reunião doméstica.

Tudo de que se necessita é que a igreja crie e nutra propositadamente ambientes que incentivem a comunidade autêntica, na qual novas pessoas se sintam bem-vindas. Isso significa que precisamos buscar oportunidades para passar tempo juntos com aqueles que não fazem parte de nosso círculo fechado de cristãos. Uma vida aberta e compartilhada que recebe outros em nossa vida, em nosso lar e em nossa caminhada com Jesus pode levar a relacionamentos mais profundos do que ocorreria numa reunião semanal.

A vida em comunidade deve, então, conduzir à ação. Bonhoeffer explicou que a comunidade dá à pessoa a oportunidade de pôr sua fé em prática, compartilhando-a com os demais. Envolver as pessoas de forma prática no reino desempenha um papel poderoso no discipulado. Quando encontramos aceitação, verdade e identidade, também encontramos a paixão de envolver-nos na mudança do mundo ao nosso redor.

Após o batismo, a equipe de Guarulhos continuou a se reunir semanalmente para estudar a Bíblia juntos. Como já mencionei, eles começaram de imediato a compartilhar sua fé com amigos e através de sua banda. Eu lhes disse que eles já eram missionários e os convidei para a Escola de Missões Steiger, na Alemanha (SMS).

Alex, Robson, Moah e Felipe foram à SMS na Alemanha em 2012. Alguns deles estavam começando uma nova banda.

Todos estavam envolvidos na cena e queriam saber mais sobre o que podiam fazer por Jesus. No ano seguinte, Moah se casou, e sua esposa, Flávia, que também tinha sido parte fundamental do estudo bíblico, veio para a SMS. Ficko, um influente artista de grafite de São Paulo que fazia parte do estudo bíblico, também participou da SMS naquele ano.

Na SMS, ouviram falar de um conceito que praticamos em diferentes lugares ao redor do mundo com nossas equipes Steiger: casas comunitárias. Basicamente, parte dos membros da equipe Steiger numa cidade escolhem viver juntos e abrir sua casa para outros. Isso cria um centro para a ação da missão, um local de encontro para amigos e pessoas interessadas na mensagem. Organizamos noites de debate, festas e pequenos concertos em casa. Pessoas interessadas em aprender a seguir Jesus também podem se mudar e fazer parte da comunidade. Isso é discipulado sete dias por semana de forma informal e relacional, à medida que a equipe vive junto, compartilha as contas, divide refeições, ora em companhia e estuda a Bíblia em companhia.

Alex, Moah e Flávia sugeriram que iniciássemos uma casa comunitária em Guarulhos, de onde todos eles eram. Então Ania e eu, com nosso filho, Daniel, na época com 3 anos, decidimos morar com a equipe. Alugamos uma casa em Guarulhos grande o suficiente para cerca de oito pessoas viverem, além de uma pequena casa separada no quintal, ideal para nossa pequena família. Com isso teve início um período incrível de dois anos juntos, aprendendo a seguir Jesus no dia a dia, saindo, conversando, orando, estudando a Palavra e realizando muitas festas e eventos. A casa estava sempre cheia. Promovíamos eventos uma vez por mês para bandas, artistas e amigos, a maioria dos quais nunca tinha ido a uma igreja. Muita gente conheceu Jesus assim.

Tenho de admitir, às vezes foi um desafio. Viver tão intimamente em comunidade sempre é um desafio, porque todos passamos por dias ruins. É fácil ser legal com alguém que a gente só vê uma vez por semana no domingo. Mas estar juntos dentro e fora todos os dias — no mau humor matinal, no cansaço depois de um longo dia de trabalho, nos momentos de crise — significa que as pessoas nos conhecem em nosso pior. São grandes oportunidades para aprender amor e perdão verdadeiros.

Além do primeiro grupo de estudo, muitos outros se juntaram aos estudos bíblicos, tornaram-se visitantes regulares e participaram dos eventos. Nossos eventos não raro atraíam cem ou mais pessoas, enchendo o jardim dos fundos e a sala de estar. Posteriormente, novas pessoas se mudaram para lá e se tornaram parte da comunidade.

Um cara apelidado Xarope por vezes saía conosco aos sábados. Ele era um vegano *straight edge*, um movimento ligado à cena *hardcore*. Seus adeptos seguem regras e padrões de dieta e ideologia bastante rigorosos. Ele tinha uma tatuagem de uma igreja em chamas no pescoço, então claramente não era muito religioso. Um dia ele perguntou se podia morar conosco.

— Eu me sinto mais em casa aqui do que em minha própria casa. Vocês parecem se importar mais comigo do que minha própria família.

Eu tinha reservas e sondei:

— Você sabe que oramos e lemos a Bíblia aqui, certo? Quer mesmo fazer parte de algo assim?

O Xarope respondeu com confiança:

— Sim, quero aprender sobre Jesus. Acho que isso vai me fazer algum bem.

Ele morou conosco por cerca de seis meses, e foi uma época muito interessante. Participou de todos os estudos bíblicos e momentos de oração, e ficamos bons amigos. Ele vinha de um histórico problemático e tinha dificuldades para manter bons relacionamentos. Um dia, decidiu ir embora. Depois de um tempo, voltou a entrar em contato, dizendo que o tempo que passou na casa havia sido um dos momentos mais importantes de sua vida. Pediu que orássemos por ele, visto que passava por momentos difíceis.

Outro grande sujeito que se juntou à nossa comunidade foi o Cascata, um velho amigo do Moah e do Xarope. No primeiro dia que nos visitou, ele trouxe uma caixa de cerveja e discutiu política a tarde toda. Era um artista de rua e ativista político que também tinha passado um tempo viajando pelo Brasil numa bicicleta vendendo joias *hippies* e pinturas. Era conhecido por ter pintado por toda a cidade a figura de uma personagem que era uma espécie de vaca da Nova Era. Ele pediu para se mudar conosco e frequentou nossos momentos de oração e estudos bíblicos. Não falava muito, mas parecia aberto ao que estávamos estudando e compartilhando.

Numa manhã de domingo, quando estávamos saindo para ir à igreja, Cascata saiu com seu *skate*.

— Aonde você vai? — perguntei.

— Para a igreja — disse ele.

— Sério? Você vem com a gente? — perguntei, surpreso.

— Não, vou à minha igreja — respondeu ele, com orgulho.

— O quê? Você vai à igreja? Que igreja? E desde quando?

Ele então explicou que tinha começado a ir a uma pequena igreja local fazia algumas semanas. Foi incrível, e meio divertido, ver essa mudança sutil mas profunda em Cascata. Ele decidiu começar a ir a uma igreja sem nos dizer. Não pediu para ir à igreja que íamos. Ele simplesmente decidiu encontrar sua própria igreja!

No final de 2015, quando Ania e eu nos sentimos chamados para voltar para a Europa e servir com a Steiger lá, passamos a liderança da casa comunitária para o Moah e a Flávia. Foi incrível ver o quanto Deus havia feito ambos crescerem ao longo do tempo e quão apaixonados estavam em servir Jesus e alcançar as pessoas.

Embora fosse difícil para nós deixar todos os nossos amigos no Brasil e o maravilhoso ministério do qual Deus permitiu que fizéssemos parte de São Paulo, ao mesmo tempo foi profundamente gratificante ver que o trabalho continua com alguns daqueles rapazes e moças com quem havíamos passado tanto tempo. A banda Alegórica continuou sob a liderança de um jovem chamado Bruno. Ele havia ingressado como baixista anos antes e foi para a SMS em 2014. O Moah manteve os eventos Manifeste, bem como a casa da comunidade junto com a Flavia. O Angelo e a Aline, que faziam parte da equipe Manifeste, tornaram-se líderes de administração e comunicação da Steiger Brasil. Muitos outros compartilharam a carga, e a equipe continua crescendo.

10
Junte-se à revolução

Os últimos doze anos consistiram basicamente em trabalhar no desenvolvimento da Steiger, a fim de fazer do movimento uma organização missionária. Trabalhamos nisso porque acreditamos que Deus nos chamou para exercer um impacto significativo em nossa geração. Na maior parte do tempo, parece que estamos simplesmente tentando acompanhar o que vemos Deus fazendo.

Hoje, a Steiger conta com equipes nos Estados Unidos, Brasil, Chile, Colômbia, Alemanha, Suíça, Polônia, Finlândia, Ucrânia, Bielorrússia, Nova Zelândia e Líbano, e já há novas equipes também em Portugal, Rússia, Cazaquistão e muito mais — todas elas formadas por pessoas incríveis e dedicadas. Nossa visão é mudar radical e eternamente o mundo, levantando missionários que apresentarão Jesus à Cultura Jovem Global. E realizamos essa visão conforme Deus vai atraindo os jovens para si. Seu coração está partido por esta geração, e ele está agindo. Deus está se revelando através desta nova onda de equipes missionárias que pregam corajosa e relevantemente o evangelho, que se dedicam a encontrar a verdade nas Escrituras, que oram por cura e salvação nas ruas e nos bares, e ousadamente constroem relacionamentos e comunidades de longo prazo nos centros urbanos de todo o mundo.

No início de 2018, enquanto orava quanto a onde Deus nos vinha conduzindo como missão na Europa, senti-me levado a orar por diferentes cidades ao redor do continente. Visualizei uma lista das cidades europeias mais populosas e influentes e senti que Deus me desafiava a orar para que iniciássemos equipes Steiger em todas essas cidades. Pensei em como seria incrível ter equipes missionárias poderosas e dinâmicas dedicadas a alcançar a Cultura Jovem Global em cem cidades da Europa. Isso poderia trazer um impacto real para o evangelho na Europa e no mundo.

Mais tarde naquele ano, registrei a visão, descrevendo um modelo do que agora chamamos de Steiger City Team. Tornou-se também a visão internacional para Steiger, isto é, estabelecer cem Steiger City Teams até 2025. A Steiger City Team é uma equipe missionária dinâmica, multicapacitada e multidenominacional (incluindo líderes e voluntários missionários em tempo integral), especializada em alcançar a Cultura Jovem Global de um centro urbano relevante. Uma vez que uma equipe Steiger unifica e também mobiliza a igreja, ela constitui um pequeno e poderoso catalisador para que Deus impacte uma cidade inteira. Conseguimos isso por meio de evangelismo e discipulado de longo prazo, contínuo e relevante, e de parcerias estratégicas com a igreja local.

Por exemplo, nossa equipe em Kiev reuniu mais de setenta pessoas de diversas igrejas para ir toda semana às ruas, a *shopping centers* e albergues juvenis a fim de compartilhar Jesus com jovens ucranianos. Nossa equipe em Breslávia, na Polônia, administra duas cafeterias evangelísticas e centros artísticos em parceria com quatro igrejas locais, alcançando e discipulando jovens na cidade toda semana. Alguns membros da equipe dirigem uma casa comunitária semelhante àquela de Guarulhos que eu descrevi. Nossa equipe em Beirute, no Líbano, faz curtas-metragens que apresentam criativamente o cristianismo e que são exibidos em universidades, levando a discussões profundas com os alunos. Eles desenvolveram um grande relacionamento com o clube estudantil ateu e com o clube estudantil muçulmano. Às vezes fazem piqueniques juntos nas montanhas.

Além de nossas equipes locais, a Steiger tem várias ferramentas catalíticas internacionais, como a Come&Live!, uma plataforma para incentivar bandas e artistas a compartilharem o evangelho num contexto secular. Bandas como a Nuteki, de Minsk, na Bielorrússia, fazem turnês por todo o mundo de língua russa tocando para milhares de jovens. Pregam sobre Jesus intrepidamente em cada apresentação e plantam estudos bíblicos em cafeterias ao longo do percurso.

A No Longer Music segue em turnê pelo mundo. Na Europa, temos um imenso palco móvel a reboque, o que é ótimo para a ampla produção e para o estilo musical mais popular que é agora característico da NLM. Com essa ferramenta conseguimos ir às principais ruas de toda a Europa e erguer uma poderosa representação da cruz, repleta de efeitos especiais, de forma muito pública e clara para milhares de pessoas. É como Billy Graham no estilo *rock'n'roll*!

A Come&Live! também tem produzido semanalmente *blogs* e *podcasts* que inspiram milhares de jovens bandas e artistas a usarem os talentos que Deus lhes deu para compartilharem Jesus na cena. Também fizemos parceria com artistas como Brian "Head" Welch, da banda Korn, fornecendo-lhe equipes missionárias em concertos para apresentar Jesus com os fãs de sua banda. O Brian conheceu Jesus anos atrás, e depois de um tempo longe da banda ele se sentiu chamado para voltar para o Korn e compartilhar sua história com pessoas em todo o mundo. Ao longo dos últimos dois anos, a cooperação com Brian para alcançar os fãs nas apresentações do Korn nos levou ao Japão, onde o diretor da Steiger, Aaron Pierce, começou a construir novas oportunidades para a Steiger naquela parte do mundo.

Fingerprint é outro movimento sob a Steiger. Em 2008, Stephan e Nadine Maag, seguidores apaixonados de Jesus, iniciaram um ministério de evangelização de rua na Suíça. Eles se juntaram ao Steiger em 2018. Isso se espalhou como fogo, encorajando todas as nossas equipes Steiger ao redor do mundo a irem às ruas com *flash mobs*, interações criativas, ou simplesmente para oferecer oração ou subir numa cadeira e proclamar as boas-novas. Isso acontece até mesmo em países onde é ilegal pregar o evangelho publicamente, e ainda assim nossas corajosas equipes missionárias não permitem que isso as impeça. Recentemente, nossa equipe de Kiev se envolveu com uma importante conferência juvenil chamada Noite do Espírito Santo (que teve início na Alemanha). A equipe levou quatrocentos participantes da conferência a compartilharem corajosamente sua fé nas ruas da cidade e trazerem mais de mil visitantes para a conferência no dia seguinte! As equipes Fingerprint estavam por toda parte em Moscou e em São Petersburgo durante a Copa do Mundo de 2018. Na conclusão de seu trabalho missionário, conversaram pessoalmente com 904 pessoas, oraram por 362 pessoas e testemunharam 53 pessoas entregarem a vida a Jesus.

Também desenvolvemos ferramentas para apoiar nossas equipes no importante trabalho de discipulado e parceria com a igreja. IsThereMore é uma ferramenta de discipulado que inclui artigos, vídeos e um estudo bíblico informal *on-line*. O projeto #Engage treina nossas equipes para que formem parcerias fortes e de longo prazo com igrejas locais a fim de ajudá-las a alcançar jovens em suas cidades.

Creio que isso tudo é apenas o começo. Talvez Deus esteja chamando você para fazer parte dessa visão! Quero terminar compartilhando claramente quais são os valores da Steiger e como você pode se envolver.

Valores da Steiger

Na Steiger, acreditamos que é crucial nos mantermos firmes em alguns valores fundamentais em nossos esforços para obedecer ao chamado de Deus em nossa vida. Especialmente quando fazemos coisas fora da caixa, queremos alcançar a cena em vez de ser alcançado por ela. Por isso, é de vital importância que fiquemos perto de Deus em nível pessoal e permaneçamos ancorados na Bíblia e centrados no evangelho em nossa mensagem. Isso é o que preserva a força do movimento. Estes são os nossos valores:

Buscar a Deus: Deus recompensa aqueles que o buscam com um coração desesperado (Hb 11.6). O fundamento de tudo o que fazemos decorre de um relacionamento pessoal com Deus por intermédio de Jesus Cristo. Reconhecemos que Deus é a fonte de toda autoridade, poder e oportunidade, e que, sem a obra do Espírito Santo, todos os nossos esforços ministeriais serão em vão (Jo 15.5). Portanto, buscar apaixonadamente Deus através da oração diligente, do estudo aprofundado da Bíblia e de louvor e adoração sinceros é a nossa maior prioridade.

Cruz: "Pois decidi nada saber entre vocês, a não ser Jesus Cristo, e este, crucificado" (1Co 2.2, NVI). Para demonstrar o poder de Deus, intentamos levantar a cruz fora da igreja. O núcleo e o poder do evangelho são a morte e a ressurreição de Jesus.

Relevância: "Tornei-me tudo para com todos, para de alguma forma salvar alguns" (1Co 9.22, NVI). Nosso objetivo é comunicar de forma relevante (em termos de música, tecnologia, linguagem e símbolos) a mensagem da cruz em uma linguagem que a Cultura Jovem Global possa compreender — como modelado pelo exemplo e pelo ensino de Cristo — ao mesmo tempo sem jamais alterar, obscurecer ou omitir a mensagem do evangelho.

Santidade: "Numa casa grande, alguns utensílios são de ouro e de prata, e outros, de madeira e de barro. Os utensílios de mais valor são reservados para ocasiões especiais, e os de menos valor, para uso diário. Se você se mantiver puro, será um utensílio para fins honrosos. Sua vida será limpa, e você estará pronto para que o Senhor da casa o empregue para toda boa obra" (2Tm 2.20-21). Queremos viver em santidade e pureza tendo por base o desejo sincero de obedecer e servir a Deus. Levamos o pecado a sério, adotamos a prestação de contas e cobramos uns dos outros padrões elevados. Sabemos que estar no ministério público significa que somos um exemplo para os outros e que Deus requer um padrão mais alto de nós (Tg 3.1). Portanto, limitamos nossas liberdades para o bem de outros.

Coragem: "Quando os membros do conselho viram a coragem de Pedro e João, ficaram admirados, pois perceberam que eram homens comuns, sem instrução religiosa formal. Reconheceram também que eles haviam estado com Jesus" (At 4.13). Coragem não é a ausência de medo, mas sim a disposição de atravessar o medo. Acreditamos que essa coragem vem de uma profunda confiança em Deus e em suas promessas, confiança essa desenvolvida pelo estudo diligente da Palavra e pelo compromisso diário de buscá-lo. Quando a pessoa aprende a confiar em Deus e a atravessar o medo, ela cresce na fé e na capacidade de superar desafios maiores no futuro. Queremos ter a coragem para desafiar o pensamento convencional, para pedir coisas extraordinárias a Deus, para falar a verdade intrepidamente mesmo que não seja popular, para correr grandes riscos, e para sacrificar segurança e reputação em prol da causa do evangelho.

Envolva-se

Espero que este livro o tenha encorajado e inspirado a pensar em maneiras pelas quais você pode servir a essa importante causa com o intuito de compartilhar com esta geração perdida e quebrantada a verdade sobre Jesus. Como disse no início, a Cultura Jovem Global é o maior grupo de pessoas não alcançado hoje. Creio que a linha de frente das missões de hoje deve ter por objetivo alcançar os jovens neste contexto urbano, global e secularizado.

Espero também que os princípios e conceitos que compartilhei sejam úteis para aplicar ao seu próprio contexto, onde quer que você esteja. O primeiro lugar que eu o encorajo a se conectar é com uma igreja local. Se você não faz parte de uma, encontre uma que acredite na Bíblia e que ensine a Bíblia e encoraje os membros a compartilharem sua fé fora da igreja. Coloque em prática os passos que expus no capítulo 7, "Conheça a cena", para começar a alcançar sua região local.

Há muita coisa acontecendo em diferentes lugares ao redor do mundo, então acredito que, se você olhar com atenção, encontrará Deus se movendo e os jovens tendo a chance de ouvir sobre Jesus. Tive o privilégio de ver Deus agindo de muitas maneiras através de diferentes igrejas e organizações em todo o mundo. Sim, Deus está agindo, e muitos na igreja hoje veem a necessidade de mudar e se adaptar aos novos desafios, fazendo do contexto secular global uma prioridade e reconhecendo a necessidade não só de alcançar os jovens, mas também de assegurar que eles são incluídos na liderança e no processo de tomada de decisão para o futuro da igreja.

Recentemente, participei de uma reunião de planejamento do Movimento de Lausanne em Amsterdã. Oitenta líderes de toda a Europa estavam planejando o evento "Evangelho Dinâmico de Lausanne 2020 — Nova Europa". Lausanne é um dos mais importantes órgãos unificadores do cristianismo evangélico mundial, e o foco de seu último grande encontro global, o Lausanne Younger Leaders de 2016, foi justamente as próximas gerações.

A International Fellowship of Evangelical Students (no Brasil, representada pela Aliança Bíblica Universitária [ABU]) tem feito esforços importantes para que os alunos se envolvam no compartilhamento de sua fé nas universidades e também, em eventos como a Urbana e uma versão europeia chamada Revive, para que se envolvam em missões. Se você está na universidade, eu o encorajo a descobrir se há nela um movimento estudantil cristão com o qual você possa se conectar.

Há também novos e empolgantes movimentos liderados por grupos como Hillsong, Bethel e ICF (na Europa), que buscam novas expressões da igreja, adoração poderosa, fé arrojada e esforços para se comunicar numa língua que os jovens de hoje possam entender. Fiquei muito encorajado ao ver Carl Lenz, pastor da Hillsong de Nova York, representando Jesus corajosamente na mídia secular nos Estados Unidos e mentorando Justin Bieber, o que mostrou ao público alguém com imensa influência começando a seguir Jesus. Também observei alguns admiráveis movimentos missionários, como Josiah Venture alcançando criativamente crianças do ensino médio na Europa ou CV (Christian Vision) e Jesus.net envidando esforços para compartilhar as boas-novas através da tecnologia e das redes sociais.

Tudo isso para dizer que há muitas grandes iniciativas acontecendo em todo o mundo. Existem várias maneiras de se envolver. Mais importante, você pode começar onde você está, com o que você tem. Se buscar a Deus de todo o coração e obedecer ao chamado que ele tem para sua vida, poderá ser um instrumento de mudança nas mãos dele para alcançar esta geração hoje.

Se quiser se envolver com Steiger, eu o encorajo a participar de uma de nossas oportunidades de treinamento. Nosso treinamento principal é a Escola de Missões Steiger, que acontece em nosso centro internacional no leste da Alemanha, perto de Dresden. Todos os anos, são mais de vinte nacionalidades representadas com uma grande variedade de dons e contextos por meio de jovens que se sentem chamados para se juntar à missão da Steiger de alcançar e discipular a Cultura Jovem Global para Jesus. A escola missionária combina três ênfases: buscar a Deus mediante a oração e o estudo da Palavra num ambiente sem distrações; ensino e discussão sobre evangelismo e discipulado para alcançar a Cultura Jovem Global; e ação poderosa e envolvente à medida que os alunos participam de algumas das linhas de frente do trabalho missionário da Steiger. Saiba mais em <www.steiger.org/sms>.

Combatendo o bom combate

Qualquer pessoa interessada em se envolver num movimento como esse enfrentará sérios desafios e oposição. É a realidade do mundo em que vivemos — tanto o mundo físico quanto espiritual. Se você está preocupado com almas, você carrega um fardo espiritual. Aquele que compartilha seriamente Jesus e ora por conversão e transformação estará entrando numa batalha espiritual. A luta é real.

Na manhã de 13 de maio de 2016, em Tübingen, na Alemanha, acordei de repente de um sonho. No sonho, nossa equipe estava encostada junto às *vans* depois de uma apresentação, quando alguém gritou: "Tem leões se aproximando!". Olhei do outro lado da rua e vi três leões rondando a calçada. "Entrem nas *vans*!", gritei. Enquanto nos jogávamos nas *vans*, os leões se atiravam sobre nós. Foi quando acordei. Ao longo da turnê, estávamos estudando 1Pedro, então no mesmo instante uma passagem me veio à mente: "Estejam atentos! Tomem cuidado com seu grande inimigo, o diabo, que anda como um leão rugindo à sua volta, à procura de alguém para devorar" (1Pe 5.8).

Quando nos reunimos naquela manhã com a equipe para orar, compartilhei o sonho e disse acreditar que Deus estava nos lembrando da batalha espiritual em que nos encontramos e que devemos estar alerta e orar por proteção. Oramos antes de partirmos para Zurique, na Suíça.

Chegando ali, instalamos nosso equipamento numa praça central, mas chovia. Muitas pessoas estavam nas ruas festejando naquela noite uma grande vitória do time de futebol local, o FCZ. Durante nossa passagem de som, um torcedor barbudo marchou até o palco e gritou que tínhamos de cancelar nossa apresentação porque eles estavam fazendo uma festa do outro lado da rua. Nosso organizador explicou que aquela era uma das torcidas organizadas mais violentas da Suíça.

Fizemos o *show* na chuva. Mesmo assim, umas oitenta pessoas vieram e assistiram a toda a apresentação. Quando comecei a parte final do *show*, o momento da pregação, três vândalos furiosos irromperam no meio das pessoas. Estavam gritando e tentando cuspir na banda no palco. Um deles pulou na frente do palco e deu um soco na minha perna enquanto eu estava pregando. Luke Wehr, nosso gerente da turnê, tentou trazê-lo para o lado para conversar, mas o sujeito se esquivava. Alguns seguranças e pessoas do público tentaram ajudar, e um jovem, que estava assistindo atentamente ao *show*, levou um soco na cara. Pedi a todos que se acalmassem e disse que não usaria mais o microfone do palco: "Se quiserem conhecer Jesus esta noite, venham para o lado do palco. A apresentação acabou". Esperava que isso satisfizesse aqueles torcedores. Estava enganado.

Ao lado do palco, nosso líder da Steiger Suíça, Stephan, traduziu enquanto eu explicava que precisávamos de paz e que o único que poderia nos dar a paz era Jesus. Stephan também falou e depois conduziu as pessoas em uma oração para que recebessem Jesus. Enquanto os torcedores marchavam e gritavam, vinte pessoas debaixo de chuva oravam conosco. Lágrimas escorriam do rosto de um rapaz enquanto conversávamos, e depois da oração ele saiu de imediato. Quando terminamos de orar, os três torcedores já tinham ido embora.

Um membro da equipe de segurança pegou uma faca que um deles derrubou na briga, o que nos deixou agudamente conscientes do perigo que corremos. Stephan tinha chamado a polícia, mas ela demorava para aparecer.

A equipe começou a guardar o equipamento. Súbito, alguns torcedores reapareceram e um deles agarrou o Stephan. Alguns de nós corremos em sua direção. Enquanto ia até esse torcedor, pedi que se acalmasse. Ele pôs a mão no bolso, sacou um *spray* de pimenta e me acertou no rosto com o líquido. Meu rosto e meus olhos pareciam pegar fogo, e caí sem conseguir respirar direito. Antes de fugir, o sujeito também acertou *spray* nos olhos do Yuki, nosso gerente de som e palco. Ge Vang, um de nossos artistas, e alguns outros afugentaram aqueles torcedores.

Sentei-me tentando recuperar-me dos efeitos do *spray*, e por fim a polícia chegou. Stephan e eu fomos falar com os policiais, mas eles ficaram em seus veículos e disseram que não nos preocupássemos. Uns quinze minutos depois, foram embora. Eu disse ao Stephan que os chamasse novamente. Não dava para acreditar que eles nos deixaram lá. A equipe continuou a desmontar o palco, mas logo um grupo de torcedores começou a se reunir a cerca de vinte metros do palco. Antes que nos déssemos conta, já havia uns cinquenta deles amontoados, como que planejando um ataque. Acho que nunca senti tanto medo na vida. Com uma coragem incrível, a equipe continuou a desmontar o palco. Yuki, ainda meio cegado pelo *spray*, continuava bloqueando o palco móvel. Eu estava tentando decidir se diria à nossa corajosa equipe que parasse e fugisse para as *vans* ou que continuasse a desmontar o palco e os equipamentos. Quatro carros da polícia chegaram segundos antes que a turba se preparasse para atacar. Um esquadrão em menor número de dez policiais saiu de seus veículos armados com equipamento contra motins.

Então a coisa mais incrível aconteceu. Toda a turba de torcedores marchou pela praça em nossa direção. Pensei que seria o fim. Pensei que íamos levar uma surra e o equipamento ia ser destruído. Milagrosamente, a turba passou direto por nós. Eles literalmente caminharam pelo meio de nosso equipamento e de nossa equipe e simplesmente seguiram para o outro lado da praça, onde a polícia estava. Quando chegaram ao outro lado, atacaram a polícia! Esmurraram os policiais e os derrubaram. Estavam rolando no chão, com socos por todo lado. Foi um tumulto completo. Estávamos no meio de uma zona de guerra. De um lado, gás lacrimogêneo e balas de borracha, do outro, rojões, pedras e garrafas de vidro. Nosso caminhão foi atingido por garrafas, e Denny, o pastor da banda, foi atingido no estômago por uma pedra. Latas de gás lacrimogêneo rolavam em torno de nossos veículos enquanto tentávamos freneticamente ligar o palco móvel para sair dali.

Depois de cerca de dez dos minutos mais intensos de nossa vida, toda a equipe se achava nas *vans* e nos caminhões, já fora de perigo. Na casa do Stephan, nos juntamos na sala de entrada. Isaac, nosso baterista, disse que no momento em que alguém gritou "Entrem nas *vans*!" ele imediatamente se lembrou do sonho que eu tinha compartilhado naquela manhã. Foi então que nos demos conta da milagrosa proteção de Deus que havíamos acabado de experimentar. Incrivelmente, ninguém sofreu ferimentos graves, e não houve um arranhão em nossos equipamentos e veículos. Ver uma multidão de torcedores caminhando em nosso meio nos lembrou os anjos de Deus fechando a boca dos leões para Daniel na Bíblia.

No dia seguinte, um noticiário suíço afirmou que uma torcida organizada do FCZ atacou uma banda cristã e depois a polícia. Registrou ainda que, depois que saímos, aquela turba reuniu trezentos membros nas ruas para enfrentar a polícia.

Deus nos deu inúmeras advertências de que o perigo estava vindo, mas ele também nos lembrou de que estava no controle e nos protegeria. David Pierce fez uma postagem incrivelmente profética no início do dia antes que aquilo tudo acontecesse. Terminava assim: "Quando Deus se move de maneiras sobrenaturais, quase sempre se segue um motim. Que comecem os motins!".

Em face da batalha espiritual, Pedro nos instrui a ter autocontrole e permanecer alerta. Como missionários nesta era secular, nesta intensa e acelerada Cultura Jovem Global, precisamos estar atentos e conscientes de nosso propósito e do custo que ele cobra. Significa compartilhar o fardo espiritual que é cuidar da alma das pessoas. Significa levar a oração a sério, tanto na vida privada como na comunidade. Eu necessito de uma rede de pessoas orando por mim, e preciso reunir a equipe com a qual trabalho para oração e encorajamento regulares na Palavra. Preciso pedir a Deus seu coração e sua orientação em todas as situações, para que ele me dê sua perspectiva.

Contudo, ter autocontrole e permanecer alerta também significa ter o coração alinhado com Deus e definir as prioridades certas:

> Significa manter-nos firmes na mais elevada prioridade ano após ano; não se trata de fazer nossa prioridade ganhar almas, ou fundar igrejas, ou ter avivamentos, mas sim procurar tão somente "ser agradável a Deus". [...] O valor que dou a Deus publicamente é medido pelo que sou em minha vida particular. É meu principal objetivo na vida agradá-lo e ser-lhe aceitável, ou é algo menos, por mais sublime que esse algo possa soar?[1]

Durante uma fase em 2017, senti-me chamado por Deus a afastar-me de um projeto que era importante para mim a fim de que pudesse priorizar o cuidado de minha família e passar tempo em oração. Por um lado, isso é algo difícil de fazer, mas por outro, priorizar estar com Jesus e cuidar da família que ele me deu é a maior alegria que já conheci. Sei que quando ele me entregar o próximo desafio ou quando eu enfrentar a próxima batalha, só ficarei firme se meu coração estiver alinhado com ele e lhe for agradável.

Nosso objetivo deve ser agradar a Jesus acima de tudo. Agradar a Jesus significa conhecê-lo e colocar o coração diante dele. E, nele, teremos a força para combater o bom combate.

Algo que vale mais que a própria vida

Como eu disse na introdução, minha esperança ao escrever este livro era suscitar a conscientização acerca da necessidade espiritual desta Cultura Jovem Global e desencadear um movimento missionário no qual Deus pudesse levantar centenas de missionários dedicados a pregar o evangelho em cidades do mundo inteiro.

Minha oração é que este livro tenha de alguma forma inspirado você a seguir, de todo o coração, o chamado de Deus em sua vida e servir à missão dele hoje. Não sabemos quanto tempo ainda nos resta. Esta geração está perdida e morrendo todos os dias. Esses jovens precisam conhecer a verdade. A hora de agir é agora.

Recentemente, assisti a um documentário sobre a Revolução de Maidan, na Ucrânia. A ousadia e determinação do povo ucraniano em sua luta por liberdade é algo chocante. Muitos perderam a vida desafiando as autoridades e encarando com paus e pedras batalhões de policiais armados. Lutaram por mudança política e por liberdade temporal.

Conhecemos a verdade que pode libertar todas as nações e trazer esperança eterna para toda a humanidade. Por isso devemos nos dispor a deixar tudo para trás, com ainda mais ousadia que aquelas pessoas em Maidan. Devemos nos dispor a abrir mão de nosso conforto, nossa reputação e nossa vida para compartilhar Jesus e a mensagem de sua morte e ressurreição para a salvação de todos os que creem.

Era assim que vivia o apóstolo Paulo. Enquanto estava em prisão domiciliar em Roma, escreveu uma carta para uma igreja que havia plantado em Filipos. Ele e sua equipe enfrentaram tempos intensos. Tudo começou com uma visita a Jerusalém, apesar de terem sido avisados de que seria perigoso. Paulo foi preso lá e acabou numa longa viagem não planejada para Roma, durante a qual sofreu tentativas de assassinato, naufrágio de um navio e fome. Em meio a tudo isso, não desistiu, mas continuou a pregar Jesus apaixonadamente. Em sua carta, Paulo declara que está acorrentado não por causa de um crime que cometeu, mas por causa de sua mensagem sobre Jesus (Fp 1.14).

Nessa situação terrível, em vez de reclamar dos tempos difíceis, Paulo falou entusiasmadamente sobre a oportunidade que teve de testemunhar aos guardas romanos, a pessoas no poder no palácio, e até mesmo à própria casa de César. Paulo era tão apaixonado por seu propósito e mensagem que isso era tudo o que ocupava sua mente, mesmo estando acorrentado.

O sofrimento de Paulo levou à fama inesperada. As pessoas prestam mais atenção quando nos dispomos a sofrer por nossa mensagem. Mas, como sempre, a fama traz ciúmes. Outros, que queriam ser famosos como Paulo, começaram a pregar a mesma mensagem! Não pelo desejo de que as pessoas conhecessem Jesus, mas porque achavam que isso os tornaria populares (Fp 1.15-16).

Inveja e críticas às vezes podem ser ainda mais difíceis de suportar do que correntes. Quando nossa reputação está em jogo, somos tentados a ceder e perder de vista o nosso propósito. Não foi o caso de Paulo. Em vez de se amargurar, ele se alegrou de que toda a situação havia trazido atenção para a mensagem de Jesus (Fp 1.18).

Pregar a cruz sempre significa sair por aí sob o risco de ofender e perder amigos. Precisamos nos dispor a passar por isso para que a mensagem possa ser ouvida. Na maioria das vezes, quando as pessoas veem autenticidade em nossa mensagem, elas se abrem para ouvi-la. Paulo era tão apaixonado por seu propósito e mensagem que ele considerava isso mais importante que sua própria reputação.

Paulo não só enfrentou correntes e críticas, mas também a própria morte. E é em situações de vida ou morte que pensamos mais a fundo em nossa vida e nosso propósito. Mesmo diante da possibilidade de execução, Paulo não vacilou em seu propósito e mensagem. Pelo contrário, falou ainda mais corajosamente, num dos versículos mais radicais e belos de suas cartas: "Para mim, viver é Cristo, e morrer é lucro" (Fp 1.21).

Paulo encontrou alegria na vida porque seu propósito é *o* propósito: glorificar seu Criador, propagar a mensagem do amor de Deus, cuidar de seus irmãos e irmãs e transformar o mundo. Encontrou alegria na morte porque seu propósito era eterno. Seu propósito era conhecer Jesus, o que se completou quando morreu e foi ao encontro dele. Paulo era tão apaixonado por seu propósito e mensagem que estava disposto a morrer por isso.

Ele terminou sua carta desafiando os filipenses a terem o mesmo propósito e mensagem, e a lutarem por isso com a mesma paixão. Escreveu: "O mais importante é que vocês vivam em sua comunidade de maneira digna das boas-novas de Cristo" (Fp 1.27), como se dissesse: "Vocês conhecem a verdade e têm o maior propósito de todos, que é compartilhar essa verdade, então vivam de uma maneira que demonstre isso!".

Esta é minha oração. Que usemos nossos dons e nossa criatividade, façamos as coisas mais não convencionais, e até arrisquemos a vida para alcançar a próxima geração. Oro para que nos unamos com ousadia para tornar conhecida a mensagem de Jesus hoje. Portanto, saíamos das quatro paredes da igreja, levantemos do sofá, deixemos de lado as redes sociais e vamos para o mundo real, arriscando tudo para alcançar a Cultura Jovem Global!

APÊNDICE:
Guia de estudo bíblico informal

O que é um "estudo bíblico informal"?

O material a seguir foi extraído do "Guia de estudo bíblico informal IsThereMore", que escrevi para a missão Steiger.

A Cultura Jovem Global é uma das maiores culturas não alcançadas no mundo atual. Ao longo dos anos, a Steiger encontrou maneiras criativas de ir até jovens que normalmente não entrariam numa igreja e comunicar com relevância a mensagem de Jesus. Muitos milhares responderam a essa mensagem, mas um dos grandes desafios em toda parte é como oferecer um próximo passo para esses jovens que não têm um histórico de igreja e que, em geral, teriam dificuldades para se conectar de imediato com uma igreja local.

Depois de compartilharmos o evangelho por meio de um evento ou de um relacionamento contínuo, é importante oferecermos oportunidades para que as pessoas aprendam mais antes de estarem prontas para assumir um compromisso. Um estudo bíblico informal é uma excelente maneira de vivenciar mais de Deus e de sua Palavra num ambiente neutro e despojado, quer as pessoas já tenham decidido seguir Jesus, quer ainda estejam apenas interessadas em saber mais. Também pode ser uma ótima maneira de começar uma comunidade num lugar que não dispõe de uma igreja.

Visão

Um estudo bíblico informal visa oferecer comunidade e contato com a Palavra de Deus como um próximo passo imediato para aqueles que se encontraram com Jesus em um *show*, evento ou qualquer outra oportunidade evangelística oferecida por nossas equipes missionárias e que estão interessados em aprender mais. O objetivo é formar relacionamentos de discipulado com jovens vindos de um contexto global e secular, conduzi-los a um relacionamento pessoal forte e duradouro com Jesus e ajudá-los a se conectar bem com uma comunidade da igreja local.

Audiência

Um estudo bíblico informal não deve ser mais um encontro para os cristãos. O objetivo é criar um ambiente onde pessoas que nunca foram à igreja se sintam bem-vindas, possam fazer perguntas, dizer coisas que não se costuma dizer em uma igreja, discordar e discutir tópicos relevantes. Se há muitos cristãos na reunião, eles tendem a dominar a conversa, respondendo a todas as perguntas e dizendo coisas que os outros não entendem. Os cristãos presentes devem ser um grupo seleto que compreende a visão e que está ali para apoiar o líder e facilitar as reuniões para os novos convertidos ou ainda não convertidos. Outros cristãos que desejem participar devem ser amavelmente encorajados a integrar sua própria igreja local e não frequentar esses encontros.

Estudos bíblicos informais são pensados para pessoas que possivelmente nunca leram a Bíblia ou nunca foram a uma igreja. Isso significa que o líder precisa refletir sobre o que e como ele ou ela fará isso de modo que não cristãos possam entender. O estudo precisa ser aberto e flexível para acomodar o fluxo de uma comunidade de novos crentes que está sendo formada.

Para atrair o público certo, o estudo bíblico é projetado para começar em conexão com uma oportunidade de impacto evangelístico, como a No Longer Music ou um tipo semelhante de evento relevante para a Cultura Jovem Global e que leva as pessoas a responder à mensagem do evangelho. Nesse evento evangelístico, aqueles que respondem à mensagem ou que estão interessados em ouvir mais são então convidados para o estudo bíblico. Na primeira reunião, é apresentado o conceito completo, para que as pessoas tenham a oportunidade de se comprometer com um período mais longo de reuniões e gradualmente se tornem parte de uma comunidade.

De modo geral, para formar uma comunidade informal de estudo bíblico com as pessoas certas, será necessário mais de um evento de impacto evangelístico. A equipe que deseja iniciar um estudo bíblico já deve estar ativamente envolvida na cultura jovem local. Isso significa frequentar casas de *show*, festivais e concertos no intuito de conhecer a cena (ver capítulo 7) e construir relacionamentos. Uma vez que alguns influenciadores importantes de uma cena jovem local compareçam, eles atrairão outros tantos. Por essa razão, um estudo bíblico informal pode funcionar melhor quando organizado em parceria com os mesmos jovens que você deseja alcançar.

Localização

Outro princípio importante para assegurar que se atrairá o público certo consiste em escolher o local certo. Um estudo bíblico informal deve acontecer em um lugar popular, de fácil acesso. Pode ser uma cafeteria, um clube, um centro cultural, uma casa comunitária ou algum outro lugar onde as pessoas se reúnem naturalmente. Às vezes, pode ser útil começar o estudo bíblico no mesmo local onde ocorreu o evento evangelístico inicial.

Encontrar um local neutro é importante, pois pode ser um desafio para as pessoas entrar numa igreja quando todo o conceito é novo para elas. A ideia é ir aonde as pessoas estão e convidá-las para um ambiente informal e acolhedor.

O ideal é criar uma boa atmosfera, e vale a pena pedir permissão aos proprietários do local antes de qualquer coisa. Se eles não gostarem da ideia de um estudo bíblico naquele recinto, então qualquer outra cafeteria ou clube pode funcionar.

Pedir a alguns dos novos participantes, especialmente aqueles bem conectados na cena, um lugar de encontro pode ser muito útil e também é uma boa maneira de incentivar a responsabilidade mútua entre os participantes.

Formato

Este guia apresenta conteúdo para catorze reuniões semanais: uma festa de introdução, oito encontros de discussão bíblica em meio ao Evangelho de Lucas, três encontros temáticos, um evento social e uma festa de batismo. Alterne os tipos de reunião para mantê-los sempre cativantes e diferentes.

Festa de Introdução. Este encontro deve ocorrer imediatamente depois da apresentação da banda ou de qualquer outro evento evangelístico, que é o melhor momento para convidar as pessoas para uma festa desse tipo. É uma oportunidade para que as pessoas se conheçam e ouçam histórias. Idealmente, quem fez o convite no evento evangelístico (o artista evangelista ou orador do evento) deve estar lá para dar início à visão para as reuniões informais de estudo bíblico. Esse é um convite para que as pessoas se juntem a uma missão para mudar o mundo mudando primeiro a nós mesmos mediante um relacionamento com Jesus. Esse primeiro orador pode compartilhar sua história e por que ele segue Jesus.

Oito discussões bíblicas. O grupo descobre em conjunto a verdade de uma passagem bíblica, fazendo boas perguntas e respondendo a elas, sempre buscando Jesus em sua Palavra. O líder ajuda o grupo a explorar a passagem em vez de apenas apresentar suas percepções pessoais e responder às perguntas do grupo. É importante que as pessoas do grupo descubram por si mesmas a personalidade de Cristo através do estudo da Bíblia. Queremos que as pessoas vejam a franqueza, o amor, a bondade, a beleza de Jesus, e, ao mesmo tempo, sua natureza misteriosa. Nosso objetivo é que experimentem o poder da revelação de Deus por intermédio de sua Palavra. Isso também as inspirará a ler e estudar a Bíblia pessoalmente em suas casas.

Três encontros temáticos. Nelas abordamos três tópicos básicos de discipulado: Bíblia, oração e igreja. Aqui, podemos ajudar as pessoas a descobrir percepções erradas que elas têm sobre igreja, Jesus, fé e outros tópicos. As discussões devem ser criativas, naturais e conduzidas de uma forma que todos entendam.

Evento. O objetivo do evento é criar uma oportunidade para que os membros do grupo convidem mais amigos. É uma oportunidade de fazer algo em conjunto e também uma grande oportunidade evangelística.

Festa de batismo. Deve ser realizado na igreja com a liderança da igreja local. Destina-se àqueles que escolhem ser batizados uma vez concluído o estudo bíblico. No encontro temático sobre comunidade, um dos participantes do painel deve explicar o batismo, que é uma confissão de fé em Jesus a uma comunidade de crentes da qual se tornarão parte.

Ordem sugerida

Semana 1 — Festa de Introdução
Semana 2 — A revolução de Jesus, parte 1
Semana 3 — A revolução de Jesus, parte 2
Semana 4 — A Bíblia é um mito?
Semana 5 — Algo pelo qual vale a pena viver
Semana 6 — O coração partido de Deus
Semana 7 — Como posso orar?
Semana 8 — Evento
Semana 9 — A força vital suprema
Semana 10 — Uma grande tragédia?, parte 1
Semana 11 — Uma grande tragédia?, parte 2
Semana 12 — Poder para ressuscitar os mortos
Semana 13 — Comunidade: vida em comunhão
Semana 14 — Batismo

Começando

Procure treinamento. O primeiro passo para liderar um estudo bíblico informal é receber o devido treinamento. A Steiger oferece um treinamento presencial de dois a três dias, durante o qual abordamos o conteúdo deste guia e demonstramos como o método funciona na prática. Esse treinamento também é oferecido como parte das aulas em dez semanas na Escola de Missões Steiger, na Alemanha. Como parte do treinamento, além do material neste guia, será preciso ler dois livros: 1) *A fé na era do ceticismo*, de Timothy Keller (Vida Nova, 2015); e 2) *The Bible Study Handbook*, de Lindsay Olesberg (InterVarsity Press, 2012).

Forme uma equipe e ore. Encontre uma equipe de cristãos dedicados que sejam seus parceiros nesta visão. Reúnam-se para oração e preparação todas as semanas e trabalhem juntos para construir relacionamentos com a juventude em sua comunidade. Oração é essencial. Ore para que Deus traga as pessoas certas e exerça impacto em sua cidade.

Organize um evento de impacto evangelístico. Pode ser um *show*, uma festa, uma exposição de arte ou qualquer outro evento em que o evangelho possa ser compartilhado e as pessoas possam tomar conhecimento da oportunidade de fazer parte do estudo bíblico. A primeira reunião deve ocorrer o mais rápido possível após o evento principal que dá início a seu estudo bíblico informal, e idealmente a banda, o artista ou o orador principal desse evento deve estar presente.

Compartilhe o que está acontecendo. Promova seus encontros nas redes sociais (crie uma página ou um grupo no Facebook ou uma conta no Instagram para compartilhar fotos e postagens) e incentive os participantes a convidarem os amigos. É importante usar ferramentas de *marketing* para promover o estudo bíblico. Escolha um nome para suas reuniões e peça ajuda a um *designer* para criar um logotipo ou algum material visual e promocional a fim de divulgar a ideia. Pense em conceitos que se comuniquem bem com seu público. Por exemplo, no mundo de língua russa, Nuteki criou o conceito #6PMBible, que significa simplesmente café, juventude, Bíblia. A equipe Steiger Brasil anuncia seu grupo como um estudo bíblico para não religiosos. Pense em algo que se encaixe em seu contexto. Sinta-se à vontade para pedir ajuda a outros líderes Steiger.

Bíblia

Uma das principais ênfases num estudo bíblico informal é ajudar pessoas que nunca entraram numa igreja a ter contato com a Palavra de Deus e conhecer a Deus à medida que ele se revela poderosamente através das histórias e lições das Escrituras.

Lindsay Olesberg explica como "a maioria de nós tende a prestar mais atenção às palavras dos especialistas do que às palavras da própria Bíblia".[1] Ela nos lembra dos bereanos que foram assim elogiados:

> Ao anoitecer, os irmãos enviaram Paulo e Silas a Bereia. Quando lá chegaram, foram à sinagoga judaica. Os judeus que moravam em Bereia tinham a mente mais aberta que os de Tessalônica e ouviram a mensagem de Paulo com grande interesse. Todos os dias, examinavam as Escrituras para ver se Paulo e Silas ensinavam a verdade.
>
> Atos 17.10-11

É dito que os bereanos tinham a mente mais aberta que a dos tessalonicenses porque estavam interessados na mensagem e depois se voltavam para examinar as Escrituras e conferir se era verdade. Para eles, as Escrituras eram centrais. Essa é uma ótima maneira de estudar a Bíblia, e a Cultura Jovem Global se identifica com a ideia de descobrir as coisas por conta própria. Em tempos de ceticismo em relação a instituições e autoridades, os jovens de hoje não estão inclinados a tão somente sentar e ouvir um líder explicar aquilo em que eles devem acreditar. Para uma geração habituada a encontrar as próprias respostas e tomar as próprias decisões, o conceito de descobrir as respostas por conta própria repercute em seu coração.

Colocar a Bíblia no centro é a base para o método de Olesberg para o estudo bíblico. Ela acredita que qualquer um pode ir até o texto e observar, questionar, descobrir, aprender e, finalmente, encontrar Deus. Seu método de estudo segue três convicções básicas:

Fatos antes de teorias. Com frequência, vamos à Bíblia carregando nossas próprias suposições e ideias do que ela deveria dizer. Então, tentamos validar essas suposições encontrando nela coisas que confirmem nossas ideias. O perigo aqui é que muitas vezes nossas ideias talvez não sejam completamente precisas. Ao estudar e ensinar a Bíblia dessa forma, pode acontecer de levarmos a Bíblia a dizer somente o que queremos.

O mundo científico descreve duas abordagens para explorar e aprender: dedução e indução. A dedução é quando usamos o que já acreditamos ser verdadeiro para estudar e entender a realidade. A indução é quando exploramos a realidade e permitimos que ela nos ensine o que é verdade.

Para o estudo bíblico informal, usamos o método indutivo para estudar a Bíblia. Como diz Olesberg, trata-se da disciplina espiritual de colocar os fatos antes das teorias. Devemos abordar a Bíblia como a Palavra de Deus e a verdadeira autoridade em nossa vida e, portanto, torná-la central. Vamos a ela sem supor que já sabemos o que ela diz, e permitimos que ela nos ensine. Isso é muito útil na leitura da Bíblia com pessoas que nunca a leram. Como cristãos, quando lemos a Bíblia, nossa cabeça em geral se encontra cheia de explicações que já ouvimos antes. Os incrédulos não têm essa história. Eles estão vindo frescos à passagem, sem ideia do que ela diz ou significa. Fazendo perguntas, descobrimos juntos o que significa, em vez de pressupor que já sabemos.

O autor determina o significado. Um perigo em abordar a passagem como um grupo de incrédulos dispostos a descobrir o que ela diz é que podemos chegar a todo tipo de interpretação. Permitimos que o contexto pluralista e relativista de nossa Cultura Global nos leve a uma discussão subjetiva na qual nossas opiniões, e não a própria Bíblia, se tornam centrais.

Olesberg nos dá um importante princípio para evitar isso. O ponto básico aqui é que não somos nós que determinamos o sentido; antes, devemos olhar para o contexto do texto e para as intenções do autor a fim de entender o sentido. Significa procurar entender o que o autor queria que seu público original entendesse, em vez do que isso significa para nós em nossos dias e em nossa era.

Compreensão requer aplicação. Seguir os dois primeiros princípios significa que teremos uma boa compreensão da passagem bíblica e do que ela quer dizer, mas é somente quando escolhemos acreditar, permitindo que ela vá fundo em nosso coração e depois aplicando-a em nossa vida, é que estamos verdadeiramente conhecendo Jesus. É por meio desse princípio que o discipulado começa a acontecer.

Portanto, ao estudar e descobrir a Palavra de Deus juntos, é essencial que façamos perguntas para entender não só a passagem como também nossas pressuposições, crenças e a nós mesmos. Essas discussões bíblicas devem incluir perguntas e tópicos que nos ajudem a entender como aplicar na prática em nossa vida aquilo que aprendemos.

Comunidade

Realizar um estudo bíblico informal diz respeito sobretudo a duas coisas: conhecer Jesus e criar uma comunidade.

Quando nos reunimos, com a Escritura no centro de nossa vida comunitária, algo bonito se desenvolve. Estudar a Bíblia em comunidade nos sustenta, nos alimenta, nos une e nos lança para o mundo a fim de que tomemos parte na missão de Deus.

Nesse sentido, entendemos que a igreja, a família que Jesus estabeleceu, é aquilo de que esta geração está à procura. Muitas vezes, porém, o fosso entre a igreja e o mundo exterior dificulta o senso de comunidade. É aqui que um estudo bíblico informal pode criar a ponte necessária.

Essa é uma oportunidade para que haja comunidade e contato com a Palavra de Deus antes que a pessoa esteja preparada para entrar numa igreja. Por isso, é de suma importância que a equipe à frente do grupo crie um ambiente que incentive a autenticidade na comunidade. Eis alguns pontos práticos que podem ajudar a formar uma comunidade saudável em torno da Palavra:

Acolher os recém-chegados. Um estudo bíblico informal deve enfocar principalmente as novas pessoas que se juntarem. Não deve se tornar outra reunião da igreja ou um clube fechado. Ao liderar o grupo, pense em como se sentiria alguém que nunca esteve numa igreja ou numa reunião como essa. Será que entenderia o que está sendo dito? O lugar e a atmosfera pareceriam familiares e acolhedores? Ele se sentiria parte do grupo ou um estranho? Coloque-se no lugar do recém-chegado e procure desenvolver uma atmosfera que acolha e ajude as pessoas a se sentirem parte do grupo.

A contribuição de todos é importante. Os estudos bíblicos e os encontros temáticos devem ser uma discussão aberta, que acolhe e valoriza a contribuição de todos. Num grupo misto em que a maioria não é cristã, as pessoas por vezes podem dizer coisas com as quais você não concorda ou que, a seu ver, fogem do tópico em questão. Mas é essencial ouvir e valorizar cada contribuição. Um bom facilitador de discussão saberá como interagir com tudo o que é compartilhado na discussão, relembrando temas e perguntas que os membros levantam e atraindo os mais introvertidos para a discussão.

Passar tempo juntos. O encontro não consiste apenas em estudo ou discussão da Bíblia. Só haverá comunidade se você permitir que o grupo desfrute do tempo que passam juntos. Cenários informais ajudam com isso, mas é importante que em cada reunião o grupo possa ter um bom momento em companhia. Para que isso ocorra, a comunidade que você está formando precisa tornar-se algo mais que as reuniões em si. Os relacionamentos devem se desenvolver para algo mais profundo que uma reunião semanal. Você deve receber as pessoas em sua vida, em sua casa, para dividir uma refeição ou sair juntos.

Liderar as pessoas e cuidar delas. A equipe que conduz o estudo da Bíblia deve orar regularmente pela vida de cada pessoa que aparece no grupo. É nossa responsabilidade cuidar do crescimento espiritual daqueles que estão buscando conhecer Jesus. Os líderes devem passar tempo ouvindo a história deles e procurando maneiras de orientá-los à medida que descobrem o que significa seguir Jesus. Tudo isso faz parte do processo de discipulado.

Propósito e ação. A vida em comunidade deve, então, conduzir à ação. Bonhoeffer explicou que a comunidade dá à pessoa a oportunidade de pôr sua fé em prática, compartilhando-a com os demais. Envolver as pessoas de forma prática no reino desempenha um papel poderoso no discipulado. Quando encontramos aceitação, verdade e identidade, também encontramos a paixão de envolver-nos na mudança do mundo ao nosso redor. O melhor remédio para uma sociedade consumista desconectada é envolver-se na transformação social, compartilhar as boas-novas e fazer discípulos. Os jovens de hoje podem ser os melhores agentes de mudança e criadores de tendências numa sociedade globalizada, atuando na linha de frente na propagação do reino num mundo em rápida mudança.

Encontros de estudo bíblico

Preparação

Como mencionei acima, seguimos o método de "descoberta comunitária" de Lindsay Olesberg para o estudo bíblico, em que o grupo descobre a verdade de uma passagem bíblica juntos, fazendo boas perguntas e respondendo a elas, sempre buscando Jesus em sua Palavra. O líder ajuda o grupo a explorar a passagem em vez de apenas compartilhar suas percepções e responder às perguntas do grupo.

Usamos o que é chamado de "formato manuscrito" ao ler passagens bíblicas. Não há números de versículos, divisões de capítulos, cabeçalhos ou notas no fim da página. Esse formato ajuda os participantes a ver a passagem de uma forma que lhes é familiar.

Cada estudo bíblico de descoberta comunitária começa com alguns minutos de tempo pessoal para que o grupo leia e marque seus textos. O grupo passa a hora restante compartilhando o que vê no texto, apresentando perguntas que surgem do texto e lidando com essas perguntas em grupo. O líder ajuda a resumir os principais pontos ou fluxo da passagem. Por fim, o grupo discute como a passagem se relaciona com sua vida e como poderiam aplicá-la. O papel do líder é facilitar a discussão e o processo de descoberta.

Como líder, leia a passagem primeiro antes de conduzir o grupo. Ao estudar cada passagem, certifique-se de aplicá-la pessoalmente à sua vida. O que Jesus está lhe dizendo em cada passagem e chamando-o a fazer ou mudar? Estude a passagem primeiro, aplique-a à sua vida e, então, conduza o grupo. Dessa forma, a passagem terá se apossado de seu coração e de sua vida, e você poderá ensiná-la com verdadeiro poder e convicção.

Passo a passo

Este material percorre o Evangelho de Lucas, portanto a primeira coisa a fazer é ler todo o livro e estudá-lo de forma indutiva. Durante a leitura, ore para que Deus se revele a você e reflita sobre as seguintes perguntas:

Qual é o contexto? (lugar, tempo, questões, autor, leitores)
Qual é o propósito do autor?
Qual é a ordem no livro?
Quais são alguns dos temas?
Existe um tema principal?

Tendo feito suas anotações no livro, dê uma olhada no que alguns comentários bíblicos dizem sobre Lucas. A maioria das Bíblias de estudo dispõe de comentários; você também encontra várias opções de comentários *on-line* ou pode encomendá-los em livrarias.

Após essa preparação inicial, você estará pronto para estudar cada passagem específica na qual o grupo se concentrará nas reuniões. Estude as passagens do seguinte modo:

Fatos. O que a passagem está dizendo? Quais são os fatos?

- Leia atentamente a passagem e anote os detalhes, como quem está lá, o que está acontecendo, quando está acontecendo.

- Circule ou anote palavras, frases, ideias ou ideias semelhantes ou contrastantes, que vão do geral ao particular ou indiquem causa e efeito.
- Coloque-se na passagem. Se é uma narrativa, insira-se na história. O que você vê, cheira, experimenta e sente? Escolha um dos personagens e transforme-se nele.

Significado: O que significa? O que o autor pretendia que significasse?

- Que perguntas a passagem suscita em sua mente? Que palavras, frases ou conceitos você não entende? A passagem muda de rumo inesperadamente? O que o intriga nela? Anote essas coisas.

Aplicação: O que Deus está me dizendo e como colocarei isso em prática na minha vida?

- Dê um passo atrás e releia a passagem algumas vezes. Pondere novamente nos pontos que se destacam para você. O que a passagem diz ou aponta sobre Jesus?
- Ao refletir sobre seu estudo, você sente que Deus está falando com algum aspecto de sua vida? Há uma promessa de confiança, um mandamento a obedecer ou um exemplo a seguir ou evitar? Há uma visão mais profunda de Deus ou de sua experiência com Deus? Que medida você tomará em resposta ao que Deus está lhe dizendo?

Resuma:

- Anote os principais pensamentos e perguntas que surgirem em cada etapa (fatos, significado e aplicação).

Identifique os principais pontos dessa passagem. Desenvolva quatro ou cinco questões que podem ajudar o grupo a compreender por conta própria a passagem e os principais pontos que você identificou.

Este guia já apresenta uma introdução e perguntas para cada passagem, mas é importante que você faça seu próprio estudo da passagem a fim de se preparar para o encontro. Você pode usar suas próprias perguntas em vez (ou além) das que estão neste material, e em última análise são os temas e as perguntas que o grupo trará que constituirão seu material mais preciso para conduzir a discussão.

Liderando a discussão

Não fale demais, não pregue, não dê sermão, e não compartilhe tudo o que preparou. Procure que os membros do grupo compartilhem o que eles veem na passagem e os leve a gerar perguntas, e depois explorem juntos para obter respostas.

Quando entender que é o momento de fazer alguma das perguntas preparadas, espere que as pessoas respondam. Ouça as respostas e faça mais perguntas para que elas falem mais, e seja flexível e disposto a falar sobre os assuntos que estão sendo levantados. Sempre pare e pergunte se eles têm perguntas. No final, conclua com clareza. Conte histórias pessoais para dar exemplos.

Esboço geral da reunião

Tempo livre (10 min)
Dê tempo livre no início para conversas, lanches e bebidas, e outras coisas.

Introdução (15 min)

Prepare um início criativo e dinâmico para chamar a atenção de todos. Se possível, peça para que uma banda toque uma ou duas músicas e que o líder apresente o tema. Algo mais na linha de um *show* acústico ou de música ambiente, e não de música de adoração. (Não é um culto de igreja.)

Leia a passagem em voz alta (5 min)

Exploração em grupo (30 min)

Compartilhem suas observações e perguntas. Ajude o grupo fazendo perguntas como: O que lhes chamou a atenção? Como descreveriam o que está acontecendo? O que entenderam desta passagem? O que mais notaram? Certifique-se de que está fazendo perguntas que abrem discussões, e não perguntas de conteúdo óbvio como "Quem Jesus encontrou no caminho para Samaria?". Não responda às perguntas ainda, esse é um momento de *brainstorming*, que deve ser animado e dinâmico, com todos compartilhando pensamentos e perguntas.

Caminhe pela passagem usando as questões-chave que o grupo identificou. Use as perguntas no material informal de estudo da Bíblia ou recorra às suas próprias perguntas quando necessário a fim de cobrir as seções centrais do texto. Incentive o grupo a procurar respostas na passagem.

Resumo e aplicação (10 min)

Depois de percorrer a passagem e responder às perguntas em grupo, alguns temas principais devem surgir. Resuma-os em poucas frases. Faça uma ou duas perguntas que incentivem a aplicação pessoal. Termine com os principais pontos de aplicação, desafiando o grupo a pôr em prática aquilo que ouviram. O material informal de estudo da Bíblia inclui aplicações e conclusões no final para ajudar a concluir o encontro com uma mensagem clara e poderosa.

Oração (10 min)
Termine com uma oração. Pergunte se alguém precisa de oração. Esse pode ser um momento poderoso, especialmente para pessoas que não oraram muito antes. Se você tem o público certo (não crentes), eles ainda não se sentirão confortáveis para orar por conta própria, então ore por eles.

Tempo livre (10 min)
Termine novamente com tempo livre para mais conversas, lanches, bebidas, e tudo mais.

Tempo total: 1h30min

Encontros temáticos

Preparação

Convide três pessoas para participar de um painel sobre o tema em questão. Peça aos membros do painel que assistam ao vídeo do Steiger sobre o tema (Bíblia, oração ou comunidade, em <www.istheremore.info>) e preparem algumas reflexões, perguntas e testemunhos pessoais relacionados ao tema. Por exemplo, sobre o tema de oração, eles podem compartilhar o que a oração significa para sua vida pessoal, uma história sobre oração respondida ou situações que os ajudaram a entender melhor a oração.

Esses membros também podem encontrar algumas passagens bíblicas e citações ou exemplos da cultura *pop* ou de escritores relacionados com o tema. Podem compartilhar seus pensamentos antes do encontro para pensar em maneiras de interagir uns com os outros.

Tempo livre (10 min)
Dê tempo livre no início para conversas, lanches e bebidas, e outras coisas.

Introdução (20 min)
Prepare um início criativo e dinâmico para chamar a atenção de todos. Se possível, peça que uma banda toque uma ou duas músicas e que o líder apresente o tema. Algo mais na linha de um *show* acústico ou de música ambiente, e não de música de adoração. (Não é um culto de igreja.)

Assista ao vídeo da Steiger em <istheremore.info> (5 min)

Participantes do painel compartilham alguns pensamentos (15 min)
Cada palestrante pode ter cinco minutos para compartilhar seus exemplos e *insights* preparados sobre o tema.

Perguntas (20 min)
Deixe o grupo fazer perguntas ou comentários sobre o que os participantes do painel compartilharam. Eles também podem interagir uns com os outros, fazendo perguntas ou comentando.

Resumo e aplicação (10 min)
Resuma os pontos-chave, as conclusões ou questões pendentes. Escolha um *insight* básico que, a seu ver, ajudaria o grupo

com suas dúvidas e lutas e termine enfatizando essa visão e sugerindo uma aplicação prática.

Oração (10 min)
Termine com uma oração. Pergunte se alguém precisa de oração. Esse pode ser um momento poderoso, especialmente para pessoas que não oraram muito antes. Se você tem o público certo (não crentes), eles ainda não se sentirão confortáveis para orar por conta própria, então ore por eles.

Tempo livre (10 min)
Termine novamente com tempo livre para mais conversas, lanches, bebidas, e tudo mais.

Tempo total: 1h30min

Evento

Um estudo bíblico informal deve ter os olhos voltados para fora, sempre aberto e acolhedor para novas pessoas. Embora focado em introduzir esses novos convertidos ou ainda não convertidos à fé e à Bíblia, também deve ser visto como uma oportunidade evangelística contínua. O recém-chegado a uma reunião deve ser capaz de integrar a discussão e de se sentir parte dela.

O evento é uma ótima maneira de manter o dinamismo do estudo bíblico e seu foco nos de fora. Deve ser organizado pelo grupo em conjunto e o líder deve procurar incluir os participantes na ação. Discuta com o grupo ideias sobre o tipo de evento, onde fazê-lo e como convidar novas pessoas.

Sugerimos que seja um evento criativo e artístico. Pode ser um debate sobre cinema, uma exposição de arte, uma série de oficinas, um concerto musical, ou qualquer coisa do tipo.

Parcerias com artistas não cristãos é uma excelente maneira de atrair novas pessoas. Por exemplo, se o grupo quiser sediar um evento musical, convide algumas bandas locais conhecidas que atraiam o público e uma banda cristã que possa compartilhar uma mensagem. Construir relacionamentos na cena é de grande importância e deve ser um esforço contínuo da equipe. Convidar artistas locais e procurar conhecê-los, bem como a seu público, é uma boa maneira de fazer isso.

É muito importante aproveitar a oportunidade para compartilhar mais uma vez uma mensagem clara do evangelho neste evento. Se não houver bandas cristãs ou artistas capazes de compartilhar uma mensagem clara, talvez um dos organizadores informais do estudo bíblico possa fazê-lo. Se o evento for uma discussão sobre cinema, escolha um filme que possa levar a uma boa discussão e a uma apresentação do evangelho. Se for uma exposição de arte, procure um artista que possa compartilhar sua fé através da arte e/ou através de uma entrevista na exposição. Depois de compartilhar a mensagem, você pode convidar pessoas para o estudo da Bíblia que continuará na semana seguinte.

Certifique-se de que a divulgação do evento seja visualmente atraente, feita com linguagem e visual relevantes, buscando *design* e conceito de alta qualidade. Convença todo o grupo a compartilhar o convite com seus amigos e encontre maneiras de realizar o evento na cena e num local que se conecte com a cena, como uma cafeteria ou um clube.

Batismo

Igrejas e denominações fazem o batismo de formas diferentes, por isso é importante discutir isso com sua igreja local (se houver uma) e decidir juntos como receber esses novos crentes e batizá-los. É importante fazer o batismo com a igreja local.

É de extrema importância convidar as pessoas para serem batizadas uma vez que tiveram a oportunidade de entender quem é Jesus e escolheram crer nele e segui-lo.

No encontro temático sobre comunidade, um dos participantes do painel deve explicar o batismo, que é uma confissão de fé em Jesus a uma comunidade de crentes da qual nos tornamos parte. Também é importante lembrar aos participantes o que aprenderam através do estudo bíblico e certificar-se de que entendem o que estão confessando no batismo: arrependimento e fé em Jesus como Senhor e Salvador.

O batismo, uma festa que celebra uma nova vida e um acolhimento na comunidade de fé, é uma ótima maneira de finalizar esse tempo significativo. Oramos para que você veja muitas pessoas encontrando Jesus e sendo batizadas no estudo informal da Bíblia!

Exemplos de estudos bíblicos

Você pode solicitar um guia de Estudo Bíblico Informal completo em <www.steiger.org>. Você também encontra mais estudos bíblicos em <www.istheremore.info>.

A revolução de Jesus, parte 1

Introdução

Bem-vindo ao [nome do seu estudo bíblico]. Este é só o começo. Acreditamos que este nosso tempo aqui juntos pode mudar tudo. Queremos mudar o mundo, mas acreditamos que isso começa dentro de cada um de nós. A revolução tem de começar dentro de nosso próprio coração.

Compartilhe uma história pessoal sobre um momento-chave no qual Jesus se tornou real para você.

Se você está aqui é porque acredita que há mais na vida do que aquilo que vemos ao nosso redor e aquilo que a sociedade e a mídia nos dizem. Talvez tenha ouvido nossa mensagem em nosso *show*. Não sei o que você pensa sobre Deus e religião. Não sei se acredita em algo do tipo ou não. Mas, se está aqui, imagino que seja no mínimo curioso.

Nosso objetivo aqui é explorar as grandes questões da vida, aquelas perguntas para as quais muitas vezes achamos que não existem respostas. Queremos ouvir seus pensamentos e queremos descobrir respostas juntos.

Acreditamos que Deus é real e que ele está aqui e agora conosco. Você não é um acidente; você foi criado por um Deus amoroso que o conhece e se preocupa com você. Acreditamos que podemos conhecer Deus ao conhecer Jesus. Então, queremos ler a história sobre Jesus registrada na Bíblia.

Jesus foi e é um revolucionário, mas ao contrário de outros revolucionários da história que tentaram mudar o sistema, a revolução de Jesus começa no coração humano.

Na passagem que lemos hoje, Jesus entra numa reunião religiosa e é convidado a ler uma antiga profecia judaica. Enquanto ele lê, sua voz está tão cheia de poder e autoridade que todos os olhos se fixam nele. A profecia descreve esse momento de esperança, quando tudo mudaria, algo que todos os presentes esperavam e acreditavam que aconteceria algum dia. Jesus guarda o pergaminho e diz: "Isso está acontecendo aqui e agora...".

Leia Lucas 4.14-22

Perguntas

- O que podemos descobrir sobre Jesus nesta passagem? Quem era ele e como ele era?
- Aqui diz que ele foi criado em Nazaré. Como você acha que teria sido falar com uma multidão que conhece você desde a infância?
- Jesus parece estar declarando sua missão de vida. O que é essa missão? Como você a descreveria?
- O que você acha que a profecia quer dizer com "pobres, prisioneiros, cegos e oprimidos"? Em sua opinião, é algo literal ou figurativo?
- O que Jesus quis dizer com: "Hoje se cumpriram as Escrituras que vocês acabaram de ouvir"?

Resumo e aplicação

Você acha que as pessoas de hoje em nossa sociedade se sentem pobres, de coração partido, cativas, cegas ou oprimidas? Já se sentiu assim? Você acha que Jesus é capaz de cumprir essa missão de libertar os cativos, curar e trazer visão aos cegos hoje?

Jesus veio pelos pobres, quebrantados, cativos, cegos e oprimidos. A maioria das pessoas naquele tempo se sentia assim. Eram oprimidas pelo Império Romano, e muitos aguardavam por um líder político que as libertasse e mudasse o sistema — mas Jesus não fez isso.

Hoje as pessoas se sentem pobres, como se algo estivesse sempre faltando; cativas pelo sistema, o trabalho, pressões sociais, drogas, vícios, maus relacionamentos, materialismo... a lista é infinita; oprimidas por algum mal que lhes estejam causando ou pelo remorso pelo mal que causaram a outros; cegas e no entanto cientes de que há verdade em algum lugar lá fora, mas sem nunca encontrar respostas.

Muitas vezes, contudo, o tipo de liberdade que procuramos não é a liberdade de que realmente precisamos. Queremos mudar o mundo à nossa volta, o sistema ou as circunstâncias, mas o que de fato necessitamos é de uma mudança de coração. A revolução de Jesus começa dentro de nosso coração. Ele quer nos libertar por dentro. Quer curar nosso coração partido e quer nos ajudar a ver a verdade.

Oração final

A revolução de Jesus, parte 2

Introdução

Bem-vindo de volta! Se você esteve aqui da última vez, estamos muito entusiasmados por voltar. Se é sua primeira vez, também é muito bem-vindo aqui.

Na semana passada, começamos lendo uma passagem no livro de Lucas, que faz parte da Bíblia. Estávamos tentando entender quem é Jesus. Falamos sobre como Jesus era um revolucionário, mas que era um tipo diferente de revolucionário. Sua revolução começa no coração humano; ela nos muda de dentro para fora.

Compartilhe uma história pessoal sobre como algo significativo mudou em sua vida quando você começou a seguir Jesus.

A passagem que leremos hoje conta a história de um sujeito disposto a fazer qualquer coisa para encontrar mudanças. Esse cara era um lutador de verdade, que não aceitava as coisas do jeito que estavam. Estava cansado de sua vida. Queria ser curado e transformado. E foi por isso que saiu para procurar Jesus. Mas, quando enfim o encontrou, a mudança que Jesus trouxe o apanhou de surpresa e foi além do que ele esperava.

Leia Lucas 5.17-25

Perguntas

- Que história maluca! Como é que esses caras tiveram a ideia de subir no telhado com um homem paralítico e fazer um buraco para descê-lo por lá? Coloque-se no lugar do homem paralítico. Como você se sente? No que está pensando? Quais são suas expectativas?
- O que Jesus quis dizer com "seus pecados estão perdoados"? E por que ele começou dizendo isso em vez de curar o homem? Por que os religiosos ficaram com raiva?
- Colocando-se novamente no lugar do homem paralítico, no que você está pensando e como está se sentindo agora depois de ter recebido o que Jesus tinha para oferecer?

Resumo e aplicação

O que é "perdão dos pecados"? É algo de que ainda precisamos hoje? Existe isso de "pecado"?

Na semana passada, vimos como Jesus veio libertar os cativos, curar os corações partidos e dar visão aos cegos. Discutimos se isso era literal ou figurativo, relacionando com os estados da alma. Vimos hoje que Jesus parece oferecer cura física e espiritual — liberdade no corpo e na alma.

Jesus quer nos dar perdão, uma liberdade interior. Essa é a liberdade de nossa natureza corrompida e de nosso orgulho. Curiosamente, não era isso que o paralítico buscava. Ele esperava a cura física, mas a primeira preocupação de Jesus foi com seu coração, não com suas pernas.

Jesus é um revolucionário que veio para nos libertar, mas precisamos entender do que ele está nos libertando. Essa revolução começa dentro — em nosso caráter e em nosso coração. Talvez estejamos à procura de muitas coisas nesta vida, mas quando encontramos Jesus descobrimos que o que realmente precisamos é dessa mudança interior, o perdão de nossos pecados.

Os líderes religiosos se zangaram porque tinham poder sobre cerimônias religiosas, como as ofertas pelo perdão dos pecados. Administravam um sistema complexo e lucrativo de sacrifício de animais no templo para declarar as pessoas isentas do pecado. Jesus ignora o sistema e oferece perdão gratuitamente. Isso ocorre porque há um poder em Jesus que não se encontra em nenhuma religião. Jesus derrotou a morte, para que assim pudesse derrotar a morte dentro de nós. É o presente dele para nós.

Oração final

Algo pelo qual vale a pena viver

Introdução

Às vezes, quando estamos em turnê com a banda, passamos por momentos tensos, muitas vezes perigo real.

Conte uma história sobre ser atacado e enfrentar oposição.

Acredito que isso acontece porque Deus nos chamou para ter uma fé radical, uma fé pela qual lutaremos e arriscaremos a vida, uma fé que nos custará tudo.

Hoje em dia, muitas vezes parece que perdemos a paixão pela vida. Não parece haver nada realmente precioso na vida, nada pelo qual valha a pena lutar ou morrer. Tudo se tornou demasiadamente confortável. Em Jesus, porém, podemos voltar a encontrar nossa paixão. Aqui está algo pelo qual vale a pena morrer.

Seguir Jesus vem com um custo. Significa morrer para mim mesmo, humilhar-me diante de Deus e dizer: "Deus, preciso do Senhor; preciso que me transforme". Significa rendição completa.

A história que leremos hoje é sobre um sujeito que tinha esse tipo de fé radical. Ele estava disposto a desistir de tudo para seguir Jesus.

Leia Lucas 5.27-32

Perguntas

- Quem era Levi?
- O que podemos aprender com essa passagem sobre a visão que as pessoas tinham dos cobradores de impostos no tempo de Jesus?
- Quais foram os custos e as consequências para que Levi seguisse Jesus?
- Por que os religiosos ficaram com raiva?
- Como Jesus define sua missão nessa passagem?

Resumo e aplicação

Por que, em sua opinião, Jesus comparou o pecado a estar doente? O que essa comparação diz sobre o pecado? De acordo com Jesus, qual é a cura?

Jesus parece estar sugerindo que todos têm essa doença e precisam dessa cura. Você concorda? Isso é verdade hoje?

Quando decidimos seguir Jesus, a primeira coisa que ele quer fazer é aquela revolução interior de que falamos no último estudo. Estamos todos doentes, e ele veio para nos curar.

Essa cura vem por meio do arrependimento, que significa pedir perdão a Deus e entregar tudo a Jesus num passo radical de fé com tendências suicidas.

Oração final

O coração quebrantado de Deus

Introdução

Compartilhe uma história pessoal de amor por um membro da família — filho, cônjuge, irmão ou pai.

Na semana passada, falamos sobre essa fé radical e sobre entregar tudo a Deus. Mas quem é realmente esse Deus por quem estamos desistindo de tudo para segui-lo? Como ele é? Ele realmente se importa comigo e com minha vida?

Muitas vezes, quando pensamos em Deus, pensamos em um velhinho no céu, alguém longe, ou pensamos nas pinturas ou vitrais de uma igreja. Mas Deus não é um ser distante esperando para nos punir quando cometemos um erro. Ele está aqui neste momento, nesta sala. A Bíblia o descreve como um pai amoroso. Não um pai alcoólatra ou um pai violento, como talvez tenhamos experienciado neste mundo, mas um pai amoroso perfeito.

Jesus contou uma história para nos ajudar a entender o coração de Deus por nós. Vamos ler isso hoje.

Leia Lucas 15.11-24

Perguntas

- Primeiro nos coloquemos no lugar do pai. Como ele se sentiu quando o filho pediu sua herança e partiu? O pai fez a coisa certa ao deixá-lo ir? O que você faria?

- Como é esse filho? Que atitudes ele mostrou?
- Coloque-se no lugar do filho no momento em que ele decide voltar para casa. O que ele está sentindo? Por que quer voltar? Por que sente que tem de se oferecer como servo para seu pai?
- Como é o pai? Que atitudes e caráter podemos ver na passagem?
- Quem você acha que o pai e o filho representam? Alguns dizem que representam Deus e a humanidade. Você concorda com isso?

Resumo e aplicação

Se essa história representa Deus e nós, o que ela diz sobre nossa condição diante de Deus? O que precisamos fazer a esse respeito?

A história começou com um filho pensando em si mesmo, querendo se livrar de suas obrigações e da influência do pai. E termina com o filho voltando para casa, amado, aceito e restaurado. Talvez a descoberta mais importante que fazemos hoje diga respeito à atitude de Deus para conosco, seus filhos e filhas perdidos: o coração de Deus se parte pelos perdidos. Ele é um pai amoroso que espera pacientemente nosso retorno. Essa história nos mostra como Jesus viu a situação entre nós e Deus e nos dá esperança: Deus perdoará aqueles que escolhem seguir o exemplo do filho perdido, que se arrependeu e voltou para casa.

Sobre a Steiger International

Junte-se a nós!

A Steiger International é uma organização missionária mundial em rápido crescimento chamada para alcançar e discipular a Cultura Jovem Global para Jesus.

A Steiger levanta missionários e equipa a igreja local para proclamar a mensagem de Jesus na linguagem da Cultura Jovem Global e estabelece equipes de longo prazo nas cidades por meio de evangelização criativa, discipulado relevante e parcerias com a igreja local.

Para obter mais informações sobre a Steiger e como você pode se envolver, acesse <www.steiger.org>.

Escola de Missões Steiger

Se você se sente chamado para participar da Steiger International, o primeiro passo é frequentar a Escola de Missões Steiger (SMS). Essa escola ocorre duas vezes por ano em nosso Centro Internacional em Krögis, na Alemanha, e dura dez semanas.

A SMS se destina a pessoas com uma grande variedade de dons e contextos que se sentem chamadas para se juntar à missão da Steiger de alcançar e discipular a Cultura Jovem Global para Jesus.

Para obter mais informações e candidatar-se à escola, acesse <www.steiger.org/sms>.

Notas

Introdução

[1] Pew Research Center, “America’s Changing Religious Landscape”, 12 de março de 2015, <https://www.pewforum.org/2015/05/12/americas-changing-religious-landscape/>.

[2] Harriet Sherwood, “‘Christianity as default is gone’: the rise of a non-Christian Europe”, 20 de março de 2018, *Guardian*, <https://www.theguardian.com/world/2018/mar/21/christianity-non-christian-europe-young-people-survey-religion>.

Capítulo 1

[1] Catherine Mayer, “Unhappy, Unloved and Out of Control”, *Time*, 7 de abril de 2008, p. 35-40.

Capítulo 2

[1] Oswald Chambers, “Is This True of Me?”, *My Utmost for His Highest*, <https://utmost.org/is-this-true-of-me/>.

[2] Para mais informações, leia *Rock Priest*, por David Pierce (1998).

Capítulo 3

[1] Aleks Krotoski, “Youth culture: teenage kicks in the digital age”, *Guardian*, 25 de junho de 2011, <https://www.theguardian.com/technology/2011/jun/26/untangling-web-krotoski-youth-culture>.

[2] “Teens, Social Media & Technology 2018”, 31 de maio de 2018, Pew Research, <http://www.pewinternet.org/2018/05/31/teens-social-media-technology-2018/>.

[3] “More and more young adults addicted to social media”, Center for Big Statistics, 18 de maio 2018, <https://www.cbs.nl/en-gb/news/2018/20/more-and-more-young-adults-addicted-to-social-media>.

[4] Alison Battisby, “The Latest UK Social Media Statistics for 2018”, Avocado Social, 2 de abril de 2018, <https://www.avocadosocial.com/the-latest-uk-social-media-statistics-for-2018/>.

[5]Stuart Dredge, "42% of people using dating app Tinder already have a partner, claims report", *Guardian*, 7 de maio de 2015, <https://www.theguardian.com/technology/2015/may/07/dating-app-tinder-married-relationship>.

[6]Brian Peters, "Top 10 Powerful Moments That Shaped Social Media History Over the Last 20 Years", Buffer, 30 de junho de 2017, <https://blog.bufferapp.com/social-media-history>.

[7]Ndasauka Y, Hou J, Wang Y, Yang L et al. (2016), "Excessive use of Twitter among college students in the UK: Validation of the Microblog Excessive Use Scale and relationship to social interaction and loneliness", *Computers in Human Behavior*, 55, p. 963-971.

[8]Graham C.L. Davey Ph.D., "Social Media, Loneliness, and Anxiety in Young People", *Psychology Today*, 15 de dezembro de 2016, <https://www.psychologytoday.com/us/blog/why-we-worry/201612/social-media-loneliness-and-anxiety-in-young-people>.

[9]Sabrina Barr, "Six ways social media negatively affects your mental health", *Independent*, 28 de janeiro de 2019, <https://www.independent.co.uk/life-style/health-and-families/social-media-mental-health-depression-anxiety-b1916402.html>.

[10]Zygmunt Bauman, *Globalization: The Human Consequences* (Cambridge: Polity Press, 1998).

[11]Andrea Smith, "We're travelling even more than ever, according to the World Tourism Organisation", Lonely Planet, 19 de janeiro de 2017, <https://www.lonelyplanet.com/news/2017/01/19/travelling-world-tourism-organisation/>.

[12]Amanda Machado, "How Millennials Are Changing Travel", *Atlantic*, 18 de junho de 2014, <https://www.theatlantic.com/international/archive/2014/06/how-millennials-are-changing-international-travel/373007/>.

[13]Bauman, *Globalization*, p. 79.

[14]*Dossiê Universo Jovem* 4, MTV Brasil, 2008.

[15]Bauman, *Globalization*, p. 80.

[16]Ibid., 48.

[17]Proven Men Porn Survey (realizada pelo Grupo Barna, 2014), <https://www.provenmen.org/2014PornSurvey/>.

[18]Social Media Addiction — Statistics and Trends, Go-Globe, 26 de dezembro de 2014, <http://www.go-globe.com/blog/social-media-addiction/>.

[19]"Alarming Video Game Addiction Statistics", Addictions.com, <http://www.addictions.com/video-games/alarming-video-game-addiction-statistics/>.

Capítulo 4

[1]James W. Sire, *The Universe Next Door: A Basic Worldview Catalog*, 4ª ed. (Downers Grove, IL: Inter Varsity Press, 2004), p. 17.

[2]Paul Kurtz e Edwin H. Wilson, "Humanist Manifesto II", *American Humanist Association*, 1973, <https://americanhumanist.org/what-is-humanism/manifesto2/>.

[3]Francis A. Schaeffer, *The God Who Is There* (Downers Grove, IL: InterVarsity Press, 1968), p. 5.

[4]Ibid., p. 17.

[5]C. S. Lewis, *The Abolition of Man* (New York: Macmillan, 1947), p. 91.

[6]John Lennon, entrevista de 1965.

[7]British Humanist Association, "What Makes Something Right Or Wrong?", narrado por Stephen Fry, 17 de março de 2014, <https://humanism.org.uk/thatshumanism/>.

[8]Timothy Keller, *The Reason for God* (New York: Viking, 2008), p. 9.

[9]Terry Eagleton, *The Meaning of Life* (Oxford: Oxford University Press, 2007), p. 66, 62.

Capítulo 5

[1]Damon Albarn, do Blur, citado em Graham Cray, *Postmodern Culture and Youth Discipleship* (Cambridge: Grove Books,1998), p. 12.

[2]Florence Welch, de Florence and the Machine, em entrevista de 2018 para a Universal Music Brasil sobre seu álbum *High as Hope*, <https://www.youtube.com/watch?v=YV0YoxLhkAQ>.

[3]Idem.

[4]Bryn Phillips, "The 2011 riots taught us nothing: when will the young and dispossessed kick off again?", *Guardian*, 10 de março de 2016, <https://www.theguardian.com/commentisfree/2016/mar/10/2011-riots-england-uprising-working-class>.

[5] Jonathan Watts, “Brazil erupts in protest: more than a million on the streets”, *Guardian*, 21 de junho de 2014, <https: / / www.theguardian.com / world / 2013 / jun / 21 / brazil-police-crowds-rio-protest>.

[6] Paul Danahar, *The New Middle East* (New York: Bloomsbury, 2015), p. 278.

[7] Mary O’Hara, “Young people’s mental health is a ‘worsening crisis’. Action is Needed”, *Guardian*, 31 de julho de 2018, <https: / / www.theguardian.com / society / 2018 / jul / 31 / young-people-mental-health-crisis-uk-us-suicide>.

[8] Suicide data, World Health Organization, Mental Health Action Plan, 2013–2020, <http: / / www.who.int / mental_health / prevention / suicide / suicideprevent / en / >.

Capítulo 6

[1] United Nations, “68% of the world population projected to live in urban areas by 2050, says UN”, 16 de maio de 2018, <https: / / www.un.org / development / desa / en / news / population / 2018-revision-of-world-urbanization-prospects.html>.

[2] Greater Europe Mission, <http: / / www.gemission.org>.

[3] Howard Taylor, *Hudson Taylor’s Spiritual Secret* (Chicago: Moody Publishers, 2009), p. 32.

Capítulo 7

[1] David Bivin, “Rabbinic Parables”, Judaic-Christian Studies nº 5, <https: / / www.cfi.org.uk / downloads / rabinnic-parables.pdf>.

Capítulo 8

[1] Francis A. Schaeffer, *The God Who Is There* (Downers Grove, IL: InterVarsity Press, 1968), p. 123, 127, 129.

[2] Dietrich Bonhoeffer, *Discipulado* (São Paulo: Mundo Cristão, 2016), p. 12.

Capítulo 9

[1] Bonhoeffer, *Discipulado*, p. 32.

[2] Augusto Cury, *O futuro da humanidade* (São Paulo: Arqueiro, 2005), p. 85.

[3] Bonhoeffer, *Vida em comunhão* (São Leopoldo, RS: Sinodal, 1983), 10.

[4] Lindsay Olesberg, *The Bible Study Handbook* (Downers Grove, IL: InterVarsity Press, 2012), p. 85.

Capítulo 10

[1] Oswald Chambers, "Is This True of Me?", *My Utmost for His Highest*, <https://utmost.org/is-this-true-of-me/>.

Apêndice

[1] Olesberg, *The Bible Study Handbook*, p. 30.

Sobre o autor

Luke Greenwood é diretor europeu da Steiger, organização missionária dedicada à evangelização e ao discipulado de jovens por todo o mundo. Nascido na Inglaterra, cresceu no Brasil, onde colaborou com os movimentos Espaço Coletivo e Manifeste. É membro da banda de *riot rock* The Unrest. Atualmente vive em Breslávia, na Polônia, com sua esposa, Ania, e seus dois filhos.

Compartilhe suas impressões de leitura,
mencionando o título da obra, pelo e-mail
opiniao-do-leitor@mundocristao.com.br
ou por nossas redes sociais

Esta obra foi composta com tipografia Palatino
e impressa em papel Pólen Soft 70 g/m² na gráfica Assahi